本书编写组 编

中华优秀传统文化书系

Excellent Chinese Traditional Culture
The Analects of Confucius

论语

（三）

山东画报出版社

出版说明

　　山东是儒家文化的发源地，也是中华优秀传统文化的重要发祥地，在灿烂辉煌的中华传统文化"谱系"中占有重要地位。用好齐鲁文化资源丰富的优势，扎实推进中华优秀传统文化研究阐发、保护传承和传播交流，推动中华优秀传统文化创造性转化、创新性发展，是习近平总书记对山东提出的重大历史课题、时代考卷，也是山东坚定文化自信、守护中华民族文化根脉的使命担当。

　　为挖掘阐发、传播普及以儒家思想为代表的中华优秀传统文化，推动中华文明与世界不同文明交流互鉴，山东省委宣传部组织策划了"中华优秀传统文化书系"，并列入山东省优秀传统文化传承发展工程重点项目。书系以儒家经典"四书"（《大学》《中庸》《论语》《孟子》）为主要内容，对儒家文化蕴含的哲学思想、人文精神、教化思想、道德理念等进行了现代性阐释。书系采用权威底本、精心校点、审慎译注，同时添加了权威英文翻译和精美插图，是兼具历史性与时代性、民族性与国际性、学术性与普及性、艺术性与实用性于一体的精品佳作。

前言

　　《论语》是记录孔子及其弟子言行的一部著作，是反映孔子思想的基本文献，是继"五经"（《周易》《尚书》《诗经》《春秋》《仪礼》）之后出现的一部重要经典。宋代，朱熹将其与《孟子》《大学》《中庸》选列入"四书"，并将"四书"分章断句，汇集注释，形成《四书章句集注》，广为传播。

一、《论语》的成书及流传

　　《论语》书名的含义，古今歧解纷纷，一个"论"字，引出"论纂"说、"伦理"说、

"追论"说、"讨论"说、"选择"说、"条理"说等多种解说。比较而言，当以"论纂"说为是。"论"有"编纂"义，所谓"论语"，就是编纂在一起的话语。就《论语》来讲，就是编纂起来的孔子、弟子、时人的谈话记录。

《论语》的编纂与成书。《汉书·艺文志》有述："《论语》者，孔子应答弟子、时人及弟子相与言而接闻于夫子之语也。当时弟子各有所记，夫子既卒，门人相与辑而论纂，故谓之《论语》。"据此可知，《论语》的编纂时间应是在"夫子既卒"之后不久；《论语》的编纂者是孔子的弟子们。至于哪些弟子参与了编纂，后人有多种说法，汉郑玄说是仲弓、子游、子夏，魏王肃说是子贡、子游，唐柳宗元说是孔子的再传弟子乐正子春、子思等。今人多认为：《论语》初成于孔子众弟子之手，最终由孔子的孙子子思整理编定。

《论语》成书之后，便逐步有了较广泛的传播，其传播方式，一是辗转传抄，一是口耳相传。从《孟子》以及后来出土的楚简均可看出《论语》在战国时期的流传痕迹。其传本形态，鲁恭王坏孔子宅所得古文《论语》可以见证。后经秦皇焚毁，抄本几乎绝迹。汉代武帝时，鲁恭王刘余坏孔子宅，在壁中幸得孔氏家传抄本《论语》，经孔安国整理后得以面世，因是战国文字，故称之为古文《论语》，简称为《古论》。有学者认为，西汉时期出现的《齐论》《鲁论》，都是由《古论》发展而来。"三论"是西汉时的主要版本，在长期的传承过程中，难免有更改、增减或衍脱，出现了篇章、篇次以及文字内容的差异。为消除分歧，安昌侯张禹以《鲁论》为本，参照《齐论》，整合为一个定本，名为《张侯论》。此书面世后，受到了士子们的认可。东汉时，包咸、周氏为之章句，立于学官。熹平年间全文刻于石碑，成为官方定本。大儒郑玄也以《张侯论》为本，撰成《论语注》。由此，它本浸微，而《张侯论》得以世代流传。

汉代以后，出现的《论语》注释著作数不胜数，较著名的有：魏何晏的《论语集解》，梁皇侃的《论语义疏》，宋邢昺的《论语注疏》，宋朱熹的《论语章句集注》，清刘宝楠的《论语正义》，近代程树德的《论语集释》等。

二、《论语》的思想内容

从部头上来讲，《论语》虽然只有一万六千字，但体大思精，精辟地阐述了人生的哲理，合理地规范了人生的准则。就其思想而言，包括仁爱、礼仪、诚信、孝道等多个方面。

仁爱思想。孔子的思想核心是"仁"。据统计，《论语》一书"仁"字共出现109次。"仁"何义？汉代许慎《说文解字》曰："仁，亲也。从人从二。"宋代徐铉注《说文》曰："仁者兼爱，故从二。"可知，仁的基本含义是人与人相亲爱。《论语·颜渊》篇樊迟问仁，孔子回答曰："爱人。"仁者爱人，爱广大民众（"泛爱众而亲仁"）。这种爱不只是停留在口头上，而是要时时事事体现在行动上，是要终生去实践它。正像曾子所说："士不可以不弘毅，任重而道远。仁以为己任，不亦重乎？死而后已，不亦远乎？"（《泰伯》）把践行"仁"作为终生奋斗的重任和目标，仁爱他人，为民造福。

礼仪思想。孔子以"仁"为内在，重在以仁德修心；以"礼"为外在，重在以礼仪规范行为，规范社会。他强调"礼"的重要性，认为"不学礼无以立"（《季氏》），主张人的一切言行都要符合礼："非礼勿视，非礼勿听，非礼勿言，非礼勿动。"（《颜渊》）颜渊问仁，孔子回答说："克己复礼为仁。一日克己复礼，天下归仁焉。"（《颜渊》）这句话曾被很多人误解，正确的理解是：克制自己约束自己，使自己的一切言行都归合于礼，就是仁。如果人人约束自己而归合于礼，天下就都归于仁了。也就是说,人人克己复礼,天下就成了充满仁德的天下。

诚信思想。孔子重视诚信,把诚信列入"五常"(人们遵循的五种常道),即仁、义、礼、智、信;把忠信列入学校教育"四科",即文、行、忠、信。要求人在说话、处事、交友、为政等方面都要讲究诚信。说话,要"言而有信"(《学而》);处事(世),要恭敬忠信,"居处恭,执事敬,与人忠"(《子罕》);交友,要结交讲诚信的朋友,"友直,友谅,友多闻,益矣"(《季氏》);为政,要取信于民,"民无信不立"(《颜渊》)。

孝道思想。孔子具有很高的孝道境界,他认为,子女对待父母,只做到"养"是不够的,要做到"敬"。他说:"今之孝者,是谓能养。至于犬马,皆能有养。不敬,何以别乎?"(《为政》)意思是说:今天有些人谈到孝,认为对老人做到养就是孝了。这种要求太低了,连狗和马等有灵性的动物都能做到长幼间的相养，作为人，在赡养老人时如果体现不出"敬"来，那与狗马等动物有何区别？

和谐友善思想。人生活在社会群体之中，需要保持友善的态度，构建和谐的人际关系。在这方面，孔子提出"君子成人之美，不成人之恶"（《颜渊》），"与人恭而有礼"（《颜渊》），"己所不欲，勿施于人"（《卫灵公》），"己欲立而立人，己欲达而达人"（《雍也》），"君子尊贤而容众，嘉善而矜不能"（《子张》），以及"和为贵""温良恭俭让""恭宽信敏惠"等众多行之有效的行为准则。

义利思想。所谓"义"，指符合正义，符合公益或道德规范。所谓"利"，指利益、财利、好处。孔子认为，"利"要符合"义"。他说："不义而富且贵，于我如浮云。"（《述而》）"富与贵，是人之所欲也，不以其道得之，不处也。贫与贱，是人之所恶也，不以其道去之，不去也。"（《述而》）孔子重义，并非不要财富，他既希望国民富足，如在卫国时，他希望卫国民众富庶，也希望个人富有，如《述而》篇，他说："富而可求也，虽执鞭之士，吾亦为之。"面对贫穷，孔子如是说："君子固穷，小人穷斯滥矣。"（《卫灵公》）"好勇疾贫，乱也。"（《泰伯》）可见，孔子的义利观是值得肯定的：君子求福，取之有道。面对穷困时，不要滥漫无节、胡作非为，而是凭着个人的努力奋斗摆脱贫困。

为政思想。在从政为官方面，孔子一是强调正身："政者，正也。子帅以正，孰敢不正。"（《颜渊》）"不能正其身，如正人何？"（《子路》）"其身正，不令而行；其身不正，虽令不从。"（《子路》）二是强调德政："为政以德，譬如北辰，居其所而众星共之。"（《为政》）"博施于民而能济众。"（《雍也》）三是强调勤政："居之无倦，行之以忠。"（《颜渊》）他这么说，也这么做，"君命召，不俟驾行矣"（《乡党》），国君有命来召，孔子不等车马驾好就急匆匆跑去。

此外，还有"忠恕""中庸""谦逊""刚勇"等思想内容，总之，《论语》中蕴含的思想丰富多彩。

三、今人读《论语》的重要意义

《论语》是两千多年前的古书，当今的广大读者应潜心研读，理由有三：

其一，《论语》自身价值。上述可知，《论语》中所传达的仁爱、礼仪、诚信、孝道、和谐、友善、德政、富民等思想，多与当今时代的价值观吻合。《论语》享誉古今，不仅被古人誉为"盖千年来，自学子束发诵读，至于天下推施奉行，皆以《论语》为孔教大宗正统，以代六经"（康有为《论语注序》），也被今人誉为"两千多年来影响着中华民族精神面貌的最伟大的书"（汤一介语，见雷原《论语：中国人的圣经》），更被外国人尊为"至高无上宇宙第一书"（〔日〕金谷治《孔子学说在日本的传播》）。

其二，个人修养需要。《论语》的大部分内容是谈修身做人，很多名句被人们作为座右铭，诸如"仁者爱人""修己安人""己所不欲，勿施于人""己欲立而立人，己欲达而达人""君子成人之美""见贤思齐""君子尊贤而容众，嘉善而矜不能"，等等。《论语》的育人功能，被世人普遍认知，尤其是儒学界、教育界的研究者，纷纷提倡"读《论语》，学做人"的命题，写出大量专著和论文。《论语》就像一面镜子，帮助人们照去脸上的灰尘，照去心中的恶念，时时提醒"三省吾身"。

其三，社会治理需要。当今社会，人们仍面临诸多难题，要解决这些难题，不仅需要运用人类今天发现和发展的智慧和力量，而且需要运用人类历史上积累和储存的智慧与力量。《论语》中就储存着解决这些难题的丰富智慧和巨大力量。

Contents

先进第十一

11.1

子曰："先进于礼乐，野人 [1] 也；后进于礼乐，君子 [2] 也。如用之，则吾从先进。"

The Master said, "The men of former times, in the matters of ceremonies and music, were rustics, it is said, while the men of these latter times, in ceremonies and music, are accomplished gentlemen. If I have occasion to use those things, I follow the men of former times."

【注释】[1] 野人：没有爵禄、身份低贱的民人。[2] 君子：这里指有地位的人。

【译文】孔子说："先学习礼乐后做官的人，是社会下层的人；后学习礼乐先做官的人，是社会上层的人。如果选用人才，那我就要选用先学习礼乐的人。"

【解读】孔子在这里说的是"任人唯贤"的用人标准。孔子主张，在用人方面，优先选用先学习礼乐，然后靠个人的能力做官的人。这些人往往出身低微，是从社会下层脱颖而出的优秀人才，有真才实学。他们大多品德高尚，积极上进，阅历丰富，视野宽广，熟悉基层，对社会有更全面、更清醒的认识。孔子不赞成优先选用那些靠家族地位先做了官再学习的贵族子弟。在当时的社会制度背景下，官员做官主要以世袭继承为主。孔子的主张，能够破除社会阶层固化顽疾，无疑具有积极意义。这种主张对于今天政德建设也具有借鉴意义。在选拔干部时，要注重基层工作经历，不要考虑家族背景、人情因素，把真正德才兼备的人提拔上来。当然，高层出身且德才兼备者也无须刻意回避，该用则用。

11.2

子曰：“从我于陈、蔡者，皆不及门也。”
德行：颜渊，闵子骞，冉伯牛，仲弓。言语：
宰我，子贡。政事：冉有，季路。文学：子游，
子夏。

The Master said, "Of those who were with me in Ch'an and Ts'ai, there are none to be found to enter my door."

Distinguished for their virtuous principles and practice, there were Yen Yuan, Min Tsze-ch'ien, Zan Po-niu, and Chung-kung; for their ability in speech, Tsai Wo and Tsze-kung; for their administrative talents, Zan Yu and Chi Lu; for their literary acquirements, Tsze-yu and Tsze-hsia.

【译文】孔子说：“跟从我在陈、蔡之地共患难的弟子，现在都不在我门下了。”

在德行方面优秀的有：颜渊、闵子骞、冉伯牛、仲弓。在言语方面优秀的有：宰我、子贡。在政事方面优秀的有：冉有、季路。在文学方面优秀的有：子游、子夏。

【解读】《史记·孔子世家》记载："孔子在陈蔡之间，楚使人聘孔子。孔子将往拜礼，陈蔡大夫谋曰：'孔子用于楚，则陈蔡用事大夫危矣。'于是乃相与发徒役围孔子于野。不得行，绝粮。从者病，莫能兴。"这就是著名的"陈蔡绝粮"的故事。孔子晚年，思念"陈蔡绝粮"时患难与共的众弟子，如今他们或死或散，每当孤寂时想到他们，顿生悲凉之感。

这里记述了在"孔门四科"中表现优秀的十位弟子。德行科有颜渊、闵子骞、冉伯牛、仲弓，言语科有宰我、子贡，政事科有冉有、季路，文学科有子游、子夏。由此也可以窥见孔子因材施教的教育思想。他重视和发现弟子专长，着力培养杰出人才；孔子坚持有的放矢，扬长避短，尊重学生爱好，发挥学生特长，通过促其进退、转化，引导弟子成才。弟子宰我昼寝被孔子批为"朽木"，"听其言又观其行"，予以"深教"促其转变，使之进入"孔门十哲"之列。

11.3

子曰："回也非助我者也，于吾言无所不说[1]。"

The Master said, "Hui gives me no assistance. There is nothing that I say in which he does not delight."

【注释】[1]说（yuè）：同"不亦说乎"之"说"。

【译文】孔子说："颜回嘛，不是一个有助于我的人，他对我所说的话没有不喜欢的。"

【解读】本章反映出，孔子深深懂得"兼听则明，偏信则暗"的道理，注意广泛听取各种不同意见，特别是批评和反对的声音，孔子把它看作是对自己的帮助，有助于纠正偏颇和错误，完善自己的学说。颜回对孔子十分尊崇，发自内心地喜欢孔子的学说，认真学习和奉行。作为老师，有这样的学生，孔子当然会很高兴。但是，颜回从来没有提出过异议，所以孔子才说，颜回不是一个有助于我的人。

　　本章内容在今天仍然有重要的启发意义。善于听取不同意见，允许别人说话，有则改之，无则加勉，这对我们是一种帮助。

11.4

子曰："孝哉闵子骞！人不间 [1] 于其父母昆弟之言。"

The Master said, "Filial indeed is Min Tsze-ch'ien! Other people say nothing of him different from the report of his parents and brothers."

【注释】［1］间：非间，非议。

【译文】孔子说："真孝顺啊，闵子骞！人们对于他的父母兄弟称赞他的话没有异议。"

【解读】闵子骞是《二十四孝》中"鞭打芦花"的故事主角。传说闵子骞少年丧母，父亲又娶。继母偏爱自己的两个亲生孩子，虐待闵子骞。闵子骞为避免影响父母之间的关系，不把自己的遭遇告知父亲。冬天，继母用丝绵给自

闵子骞　吴泽浩　绘

己的孩子做冬衣，却用芦花给子骞做冬衣。有一天，闵子骞驾牛车送父外出，因寒冷饥饿，发抖的手握不住绳鞭，无法驾车。父亲很生气，呵斥、鞭打闵子骞，结果被抽破的衣服露出了芦花。父亲知道实情以后大怒，想要休妻。闵子骞跪在父亲面前劝阻，为继母求情："母在一子寒，母去三子单。"继母后悔不已，痛改前非，从此家庭和睦。闵子骞和舜一样，都是至孝的典型代表，他们皆以至孝之心最终感化了家人和世人。儒家认为孝是仁爱的根基，小则可以修身齐家，大则可使社会安定。孝子多数具备仁爱之心，他们德行高尚：在家尊敬父母，爱护兄弟；在外厚待他人，与人为善。"孝"是中国传统文化的重要内容之一，对家风和睦、民风和谐、政风清明有着非常重要的作用。

11.5

南容 [1] 三复白圭，孔子以其兄之子妻之。

Nan Yung was frequently repeating the lines about a white scepter stone. Confucius gave him the daughter of his elder brother to wife.

【注释】［1］南容：即南宫括，孔子的弟子。

【译文】弟子南容反复诵读《诗·大雅·抑》中的诗句"白圭之玷，尚可磨也；斯言之玷，不可为也"，孔子便把哥哥孟皮的女儿嫁给了他。

【解读】"白圭"是古代白玉制的礼器。"玷"是白玉上面的斑点。"白圭之玷，尚可磨也；斯言之玷，不可为也"，意思是说：白圭上有斑点，还可以打磨干净；说出的话有错误，是没有办法挽回的。南容多次吟诵此句说明他对其体会很深，认识到了说话须谨慎的重要性。孔子从南容"三复白圭"推断出南容是个谨言慎行的人。孔子之兄孟皮早于孔子去世，所以孔子替侄女择婿主婚。

11.6

季康子问："弟子孰为好学？"孔子对曰："有颜回者好学，不幸短命死矣！今也则亡。"

Chi K'ang asked which of the disciples loved to learn. Confucius replied to him, "There was Yen Hui; he loved to learn. Unfortunately his appointed time was short, and he died. Now there is no one who loves to learn, as he did."

【译文】季康子问道："弟子中谁最好学？"孔子回答说："有个叫颜回的好学，不幸短命死了，现在则没有这么好学的了。"

【解读】颜回是孔子诸多弟子中最受孔子喜欢和赞赏的学生，孔子在多个场合积极评价颜回，这种喜欢毫不掩饰，溢于言表。孔子赞赏颜回的一个重要原因就是颜回好学，好学既是一种学习态度，又是一种学习方法，做老师的怎么会不喜欢好学的学生呢？好学的颜回有大智慧，子贡就由衷地赞许他"以一知十"的悟性，连孔子也自叹不如。由此可见颜回在孔子心目中的地位。

11.7

颜渊死，颜路请子之车以为之椁[1]。子曰："才不才，亦各言其子也。鲤也死，有棺而无椁。吾不徒行以为之椁。以吾从大夫之后[2]，不可徒行也。"

When Yen Yuan died, Yen Lu begged the carriage of the Master to sell and get an outer shell for his son's coffin. The Master said, "Every one calls his son his son, whether he has talents or has not talents. There was Li; when he died, he had a coffin but no outer shell. I would not walk on foot to get a shell for him, because, having followed in the rear of the great officers, it was not proper that I should walk on foot."

【注释】［1］椁（guǒ）：棺材外面的套棺。［2］从大夫之后：孔子在鲁国曾做过司寇，

属大夫之位。此时已去位，说"从大夫之后"，
谦逊之词。

【译文】颜渊死了，其父颜路请求孔子把车卖
了为颜渊买椁。孔子说："无论有才还是没才，
对个人来说都是自己的儿子。我的儿子孔鲤
死的时候，也只有棺没有椁。我之所以不愿
意卖车而步行走路，是因为我从前曾经位列
大夫，大夫是不可以步行的。"

【解读】首先，孔子不赞成对颜渊进行厚葬，颜
路家很穷，经济条件并不允许；其次，孔子
坚持不卖车来为颜渊置办外棺，这是维护"礼"
的举动。林放问礼之本，子曰："大哉问！
礼，与其奢也，宁俭；丧，与其易也，宁戚。"
所以他不仅不为自己的儿子孔鲤置办椁，连
听说自己病危时弟子们要大办丧事，也气得
大发雷霆。《子罕》篇记载：孔子病得很厉害，
子路曾让孔门弟子充当家臣准备为其大办丧

事。病轻点时，孔子知道了此事，很生气地说："仲由这种欺骗我的做法，一定是蓄谋已久了！没有臣却假装有臣，让我欺骗谁呢？欺骗老天吗？我与其死在家臣那里，还不如死在你们这些学生这里呢！我不用隆重的葬礼，难道就会死在道路上吗？"

11.8

颜渊死。子曰:"噫! 天丧予! 天丧予!"

When Yen Yuan died, the Master said, "Alas! Heaven is destroying me! Heaven is destroying me!"

【译文】颜渊死了,孔子说:"唉! 老天爷要我的命呀! 老天爷要我的命呀!"

【解读】颜渊早逝,孔子痛不欲生。孔子一直把颜渊当作自己创立的儒家学说的继承者,对他的感情比对常人更为深厚,所以颜渊的死对孔子打击很大。孔子的感情比常人更为诚挚,也更炽烈,此叹抒发了他对得意门生颜渊的挚爱和痛惜之情。

11.9

颜渊死，子哭之恸。从者曰："子恸矣。"
曰："有恸乎？非夫人之为恸而谁为？"

When Yen Yuan died, the Master bewailed him exceedingly, and the disciples who were with him said, "Master, your grief is excessive?" "Is it excessive?" said he. "If I am not to mourn bitterly for this man, for whom should I mourn?"

【译文】颜渊死了，孔子哭得很悲恸。跟随的人说："您太悲伤了。"孔子说："真的太悲伤了吗？不为这样的人悲伤，还为谁悲伤呢？"

【解读】当哭则哭！这里我们看到了一个真性情的孔子。哭得悲恸？爱徒英年早逝，能不悲恸吗？孔子是深爱着自己的学生的，当弟子冉伯牛得了重病，他也赶紧去探问，看着奄奄一息的伯牛，急得手足无措，不停地说："没办法啊，这是命呀！这么好的人竟然得了这样的病！这么好的人竟然得了这样的病！"

11.10

颜渊死，门人欲厚葬之。子曰："不可。"门人厚葬之。子曰："回也视予犹父也，予不得视犹子也。非我也，夫二三子也。"

When Yen Yuan died, the disciples wished to give him a great funeral, and the Master said, "You may not do so." The disciples did bury him in great style. The Master said, "Hui behaved towards me as his father. I have not been able to treat him as my son. The fault is not mine; it belongs to you, O disciples."

【译文】颜渊死了，孔子的学生们想厚葬他。孔子说："不可以。"学生们仍然厚葬了他。孔子说："颜回看待我像父亲，我却不能对待他像儿子。不是我要这样做，是那几个学生干的呀。"

【解读】弟子们为什么要厚葬颜回？就是因为
颜回德才俱优，居德行科之首，且经常受到
孔子赞扬。也许弟子们认为，只有厚葬才能
与颜回在孔门学派中的地位相称。但是，孔
子是反对厚葬的，看到弟子们为颜渊大办丧
事，他也只能发出无奈的感慨。

11.11

季路问事鬼神。子曰："未能事人，焉能事鬼？""敢问死。"曰："未知生，焉知死？"

Chi Lu asked about serving the spirits of the dead. The Master said, "While you are not able to serve men, how can you serve their spirits?" Chi Lu added, "I venture to ask about death?" He was answered, "While you do not know life, how can you know about death?"

【译文】子路问怎么服事鬼神。孔子说："活人还没能服事好，怎么能去服事鬼神呢？"子路又说："敢问死是怎么回事？"孔子说："生的道理还没弄明白，怎么能够知道死呢？"

【解读】鬼神确能带给人们一定的精神寄托，但孔子回避了鬼神、死亡等虚妄的话题，反映了

他注重现实、立于当下的观念。孔子有积极的
人生理想，对人生，他既有深沉的忧患意识，
又有充满诗意的热情和浪漫，他以极大的热情，
以忘我的情怀关注社会、他人，关注现实的人
生。立足当下，关注现实，这在今天仍有重要
的现实意义。"空谈误国，实干兴邦"，成功
缘于实干，祸患始于空谈。

11.12

闵子侍侧，訚訚 [1] 如也；子路，行行 [2] 如也；冉有、子贡，侃侃 [3] 如也。子乐。"若由也，不得其死然。"

The disciple Min was standing by his side, looking bland and precise; Tsze-lu, looking bold and soldierly; Zan Yu and Tsze-kung, with a free and straightforward manner. The Master was pleased. He said, "Yu, there! He will not die a natural death."

【注释】［1］訚訚（yín yín）：和敬。［2］行行（hàng hàng）：刚强。［3］侃侃：和乐。

【译文】闵子骞侍立在孔子身旁，和悦恭敬的样子；子路，刚强勇武的样子；冉有和子贡，温和快乐的样子。孔子很高兴。但后来又说："像仲由（子路）那样，恐怕不得好死。"

【解读】"腹有诗书气自华",正如《大学》所说"诚于中,形于外",本章将四人侍立孔子旁边时的状态描述给读者,也是将四人性格、人格特点告知后人。一个人有怎样的内在道德修养,就会有怎样的外在言行表现。孔子得天下英才而教之,又看到身边的闵子骞正直而恭敬,子路勇武刚强,冉有、子贡温和快乐,所以他很高兴。孔子一方面为学生们各有特点而高兴,一方面又为子路过于刚勇的性格而担心。

11.13

　　鲁人为长府。闵子骞曰："仍旧贯，如之何？何必改作？"子曰："夫人不言，言必有中。"

Some parties in Lu were going to take down and rebuild the Long Treasury. Min Tsze-ch'ien said, "Suppose it were to be repaired after its old style; why must it be altered and made anew?" The Master said, "This man seldom speaks; when he does, he is sure to hit the point."

【译文】鲁国人修建国库长府。闵子骞说："照老样子，怎么样？为什么一定要改建呢？"孔子赞许说："此人平常不爱说话，一说话就切中于事理。"

【解读】本章体现了孔子师徒节用爱民的思想。

闵子骞认为，国库照老样子翻修一下，能用即可，何必劳民伤财地改建呢？这正好符合孔子的节用爱民思想，因而受到孔子的夸奖。节约财用是孔子的一贯主张，从上面几章孔子反对厚葬的事情就能清楚知道。古人的思想主张至今仍有重要的现实意义。

11.14

子曰："由之瑟，奚为于丘之门？"门人不敬子路。子曰："由也升堂矣，未入于室也。[1]"

The Master said, "What has the lute of Yu to do in my door?" The other disciples began not to respect Tsze-lu. The Master said, "Yu has ascended to the hall, though he has not yet passed into the inner apartments."

【注释】[1]堂：正厅。室：内室。升堂入室，比喻学识技艺由浅入深，升堂比喻已有所成就，入室比喻已得其奥妙，即到达了很高的境界。

【译文】孔子说："仲由弹的瑟，为什么会出在我的门下？"因此孔子的弟子们不尊敬子路。孔子又说："仲由嘛，其学识技艺可以说是登堂了，只是尚未入室罢了。"

【解读】孔子提倡"仁义礼智信"，为人"温良恭俭让"，而子路性格勇武，所以弹起瑟来也一定是激昂铿锵，刚强有余而柔美不足。《孔子家语》中就记载："子路鼓瑟，有北鄙杀伐之声。"于是就有了孔子对子路的如此评价。成语"升堂入室"便出自于此。升堂入室比喻学识或技能由浅入深，循序渐进，逐步达到高深之境。

11.15

子贡问："师与商也孰贤？"子曰："师也过，商也不及。"曰："然则师愈[1]与？"子曰："过犹不及。"

Tsze-kung asked which of the two, Shih or Shang, was the superior. The Master said, "Shih goes beyond the due mean, and Shang does not come up to it." "Then," said Tsze-kung, "the superiority is with Shih, I suppose." The Master said, "To go beyond is as wrong as to fall short."

【注释】［1］愈：胜过。

【译文】子贡问道："颛孙师（子张）与卜商（子夏）谁更好一些？"孔子说："颛孙师做事有些过头，卜商做事有些不足。"子贡说："那么是颛孙师胜过卜商喽？"孔子说："过头如同不足，都一样。"

【解读】当子贡让孔子评价一下子张、子夏二人的才干时，孔子的回答不是简单的就事论事、就人论人，孔子的话往往有很深的意蕴。子贡问二人谁更贤，孔子说，子张常常过头，子夏常常欠缺，我们熟知的成语"过犹不及"便出自于此。"过犹不及"体现了儒家的重要思想"中庸之道"。子张才高意广，喜欢挑战，做事常常过了头；子夏谨慎笃信，过于保守，做事常常达不到。"过"和"不及"，往往是差之毫厘间一个"度"的把握。孔子教育学生要行中庸之道，认为过度与不足同样不好，适中、恰到好处最好。

11.16

季氏富于周公，而求也为之聚敛而附益
之。子曰："非吾徒也。小子鸣鼓而攻之，可也。"

The head of the Chi family was richer than
the duke of Chau had been, and yet Ch'iu collected
his imposts for him, and increased his wealth. The
Master said, "He is not disciple of mine. My little
children, beat the drum and assail him."

【译文】季康子比周公还富有，而时为季氏家
臣的冉求还为他搞经营活动积聚钱财，增加
他的财富。孔子气愤地说："他不再是我的
学生了。你们这些学生可以大张旗鼓地攻击
他。"

【解读】关于"季氏富于周公"之语，梁皇侃《论
语义疏》云："季氏，鲁臣也。周公，天子臣，

食采于周，爵为公，故谓为周公也，盖周公旦之后也。天子之臣地广禄大，故周公宜富。诸侯之臣地狭禄小，季氏宜贫。而今僭滥，遂胜天子臣，故云'季氏富于周公'也。"钱穆《论语新解》云："周公：此乃周公旦次子世袭为周公而留于周之王朝者。周、召世为周王室之公，犹三桓之世为鲁卿。今季氏以诸侯之卿而富过于王朝之周公。"孔子的学生冉求帮助季氏搞经营活动敛财，所以孔子很生气，明确表示，冉求不再是自己的学生，而且让其他学生击鼓声讨，真实体现了孔子的真性情。《大学》："百乘之家不畜聚敛之臣。""百乘之家"指的是王室贵族。王室贵族如果搞经营活动，是与百姓争利。而且，他们可以凭借手中的权力，搞垄断经营，甚至强取豪夺，危害社会，所以孔子坚决反对。孔子以道为重、不论亲疏的态度，很值得管理者学习。在这方面，老一辈无产阶级革命家为我们树立了光辉典范。毛泽东一贯重感情，但他定下了著名的"三原则"：恋亲不为亲徇私，念旧不为旧谋利，济亲不为亲撑腰。周恩来的"十条家规"、陈毅与家人的"约法三章"，也一直被传为美谈。

11.17

柴也愚，参也鲁，师也辟，由也喭[1]。

Ch'ai is simple. Shan is dull. Shih is specious.
Yu is coarse.

【注释】［1］喭（yàn）：鲁莽。

【译文】高柴愚直，曾参鲁钝，颛孙师怪僻，仲由鲁莽。

【解读】高柴愚笨，曾参迟钝，子张怪僻偏激，子路鲁莽，此章是对孔子的四位学生高柴、曾参、子张、子路的评价，侧重于他们天生的气质和个性。尺有所短，寸有所长；金无足赤，人无完人。每个人的情况各不相同，即使是优秀人物，也或多或少有其不足的地方。决策者用人，要知人善任，用其所长。

11.18

子曰："回也其庶^[1]乎，屡空。赐不受命，而货殖焉，亿^[2]则屡中。"

The Master said, "There is Hui! He has nearly attained to perfect virtue. He is often in want. Ts'ze does not acquiesce in the appointments of Heaven, and his goods are increased by him. Yet his judgments are often correct."

【注释】[1]庶：庶几，差不多。[2]亿：同"臆"，揣度。

【译文】孔子说："颜回学识道德可以说差不多了，但命运不好，度事屡屡落空。端木赐（子贡）不受禄命而去经商，货财不断增加，度事屡屡命中。"

【解读】孔子评价颜回和子贡，认为两人各有长处。颜回学问德行好，但命运不好，生活上度事屡屡落空，过着"箪食瓢饮"的穷日子。子贡在学问德行方面虽不如颜回，但很有经商头脑，度事屡屡命中，货财不断增加，过着富足的生活。人与人相比，各有长处，各有短处。从用人的角度看，领导用员工，分配岗位时，要熟悉、了解他们每个人的天赋、才能、技艺，因人而异，用其所长，这不仅有利于提高工作效率，还能促进下属实现个人价值。这也是领导能力的体现。

11.19

子张问善人之道。子曰："不践迹，亦不入于室。"

Tsze-chang asked what were the characteristics of the good man. The Master said, "He does not tread in the footsteps of others, but moreover, he does not enter the chamber of the sage."

【译文】子张问做善人的方法。孔子说："如果不践前代善人之迹（即效法前人的为善之道），也就不能达到为善的高境界。"

【解读】孔子认为一个人的修养和道德学问一定要继承前人的优良传统，跟着圣人的足迹一定能够登堂入室。孔子提出评价一个人是不是"善人"不能仅凭表面现象，要透过现象看本质，要根据其动机和目的来判定此人是品德高尚的君子还是道貌岸然的伪君子。

关于如何看透一个人，白居易有首诗写得很有道理："赠君一法决狐疑，不用钻龟与祝蓍。试玉要烧三日满，辨材须待七年期。周公恐惧流言日，王莽谦恭未篡时。向使当初身便死，一生真伪复谁知？"（《放言五首·其三》）这首诗的意思是：只有经过时间的检验，才能给一个人盖棺定论，否则就会把周公当成篡权者，把王莽当作谦恭的正人君子了。是顽石还是美玉，把它扔到火里烧三天就知答案；一个人是否有才华，让他历练一段时间就能知道。待人处事要光明磊落，无愧于心，还是实实在在、坦坦荡荡，做个"善人"吧！

11.20

子曰："论笃是与 [1]，君子者乎？色庄者乎？"

The Master said, "If, because a man's discourse appears solid and sincere, we allow him to be a good man, is he really a superior man? Or is his gravity only in appearance?"

【注释】［1］与：赞许。

【译文】孔子说："人们总是赞许言论笃实的人，但这种人是真正的君子呢，还是表面上庄重的伪君子呢？"

【解读】2000多年前，孔子就告诉我们识人之难。儒家崇尚质朴，反对花言巧语。"巧言令色，鲜矣仁。"（《论语·学而》）但人性是复杂的，

有些人貌似忠厚，看样子勤奋敬业，言谈举
止中规中矩，但这样的就是君子吗？单位里
可能就有这样的人，他们表面一套，背后一套。
领导在时唯唯诺诺，勤勤恳恳，一副"老好人"
的样子，至于干了些什么，效率有多少，只
有他们自己知道；领导走后就露出庐山真面
目，散布小道消息，营造紧张氛围，更有甚者，
一旦触及自身利益就捶胸顿足，指桑骂槐，
全无先前的风度和涵养。这些善于做表面文
章，"眼睛盯着领导转，工作做给上边看"，
善于伪装的"色庄者"都是作秀者。孔子目
光如炬，仍给今天的人们以警示。

11．21

　　子路问："闻斯行诸？"子曰："有父兄在，如之何其闻斯行之？"冉有问："闻斯行诸？"子曰："闻斯行之。"公西华曰："由也问闻斯行诸，子曰'有父兄在'；求也问闻斯行诸，子曰'闻斯行之'。赤也惑，敢问。"子曰："求也退，故进之；由也兼人 [1]，故退之。"

Tsze-lu asked whether he should immediately carry into practice what he heard. The Master said, "There are your father and elder brothers to be consulted; why should you act on that principle of immediately carrying into practice what you hear?" Zan Yu asked the same, whether he should immediately carry into practice what he heard, and the Master answered, "Immediately carry into practice what you hear." Kung-hsi Hwa said, "Yu asked whether he should carry immediately into practice what he heard, and you said, 'There are your father and elder brothers to be consulted.' Ch'iu asked whether he should immediately carry into practice what he heard, and you said, 'Carry it immediately into practice.' I, Ch'ih, am perplexed, and venture to ask you for an explanation." The Master said, "Ch'iu is retiring and slow; therefore, I urged him forward. Yu has more than his own share of energy; therefore I kept him back."

【注释】 ［1］兼人：胜人。

【译文】 子路问："听到就去做吗？"孔子说："有父兄在世，如何能不征求父兄的意见而听到就去做呢？"冉有问："听到就去做吗？"孔子说："听到就去做。"公西华说："仲由问听到就去做吗，您说'有父兄在'，冉有也问听到就去做吗，您说'听到就去做'。

我公西赤疑惑不解，大着胆子问问。"孔子说：
"冉求遇事畏缩不前，所以鼓励他大胆前进。
仲由好勇胜人，所以有意使他谦退。"

【解读】本章中的故事讲述了孔子因材施教的
教育理念和知人论事的教育智慧。同样的问
题，孔子因不同的人来问，给出了不同的答
案。关于因材施教，《礼记·学记》记载："学
者有四失，教者必知之。人之学也，或失则
多，或失则寡，或失则易，或失则止。此四
者，心之莫同也。知其心，然后能救其失也。
教也者，长善而救其失者也。"意思是：学
习的人有四种毛病，教育者一定要知道。人
的学习态度，有的人贪多求快，不求甚解；
有的人蜻蜓点水，浅尝辄止；有的人急于求
成，爱走捷径；有的人畏首畏尾，止步不前。
这四种毛病，心思都不相同。知道了这些人
的心思，才能对症下药，加以纠正。教育者
就是善于发现并纠正学子失误的人。刘邦成

功后曾做过这样一个总结："夫运筹策帷帐
之中，决胜于千里之外，吾不如子房；镇国
家，抚百姓，给馈饷，不绝粮道，吾不如萧何；
连百万之军，战必胜，攻必取，吾不如韩信。
此三人，皆人杰也，吾能用之，此吾所以取
天下也。"（《史记·高祖本纪》）如何用
人所长，是一种智慧，也是一种管理才能。
怎样做到"因材而用"？聪明的领导者会根
据员工的个性和资质来安排适合他们的岗位
和工作，以充分调动和发挥员工个体的优势
和创造性。

11.22

子畏于匡，颜渊后。子曰："吾以女为死矣。"曰："子在，回何敢死？"

The Master was put in fear in K'wang and Yen Yuan fell behind. The Master, on his rejoining him, said, "I thought you had died." Hui replied, "While you were alive, how should I presume to die?"

【译文】孔子师徒被围困在卫国匡地，逃脱时颜渊被落在后边。失散重逢，孔子惊喜地说："我以为你死了呢。"颜渊说："先生您还在，颜回我怎敢死？"

【解读】几句简单的话，把孔子对颜回的信任、担心，以及颜回对孔子的热爱、忠诚表达得淋漓尽致。患难见真情，师徒的这种生死与共的感情，让人动容。历史上有不少患难见真情的故事。苏轼曾写过一首诗，其中四句是："龙丘居士亦可怜，谈空说有夜不眠。忽闻河东狮子吼，拄杖落手心茫然。"(《寄吴德仁兼简陈季常》)龙丘居士是苏轼的朋友陈慥，苏轼用"河东狮吼"来比喻陈慥的夫人柳氏性格强悍。苏轼能跟陈慥开这样的玩笑，可见两人关系非同一般。苏轼被贬惠州时，已近花甲，朝廷下令将苏轼、黄庭坚、秦观等人的诗文一概禁绝，不准流传，即使是家中旧藏的也要毁掉。然而陈慥听闻苏轼身体状况不好，心急如焚，不但去惠州探望，还主持刊刻了《苏尚书诗集》。真正的好朋友看重的是真挚的感情，而不是利益。超越了利益，相互信任，危难之际能够不离不弃，才是真正的患难之交。

11.23

　　季子然[1]问：“仲由、冉求可谓大臣与？”子曰：“吾以子为异之问，曾由与求之问。所谓大臣者，以道事君，不可则止。今由与求也，可谓具臣[2]矣。”曰：“然则从之者与？”子曰：“弑父与君，亦不从也。”

Chi Tsze-zan asked whether Chung Yu and Zan Ch'iu could be called great ministers. The Master said, "I thought you would ask about some extraordinary individuals, and you only ask about Yu and Ch'iu!" What is called a great minister, is one who serves his prince according to what is right, and when he finds he cannot do so, retires. "Now, as to Yu and Ch'iu, they may be called ordinary ministers." Tsze-zan said, "Then they will always follow their chief; — will they?" The Master said, "In an act of parricide or regicide, they would not follow him."

【注释】 [1] 季子然：季孙氏（季孙意如）的同族人，鲁国大夫。[2] 具臣：充数或备数之臣。

【译文】 季子然问："仲由、冉求可以称为大臣吗？"孔子说："我以为你是来问特别的事，竟是问由和求呀。所说的大臣，应该用道义辅佐君主，做不到就辞职不干。如今由和求啊，可以说是充数的臣子。"季子然又问道："那么，他们一切都会听从主子吗？"孔子说："杀害父亲和君主的事，也不会听从的。"

【解读】 季孙氏专鲁政，是当时的乱臣，而仲由、冉求正在给季氏做家臣，孔子是不高兴的。所以，孔子才说，你竟然问的是这两个人啊，流露出不以为然的意思，这是在含蓄地表明自己的立场；后面的"以道事君，不可则止"，则是含有明确的警告意思了。孔子认为所谓大臣，就是用道来侍奉国君，协助国君推行圣贤之道，这叫"以道事君"。如果国君不采纳正确的建议，且行为无道，作为臣子就应该辞职，即"道不同不相为谋"。不能兼善天下，至少要独善其身，这才算得上大臣。看到弟子仲由、冉求糊里糊涂地做了充数之臣，助纣为虐，孔子不免心寒。

11.24

子路使子羔为费宰。子曰："贼^[1] 夫人之子。"子路曰："有民人焉,有社稷^[2] 焉,何必读书,然后为学?"子曰:"是故恶夫佞^[3]者。"

Tsze-lu got Tsze-kao appointed governor of Pi. The Master said, "You are injuring a man's son." Tsze-lu said, "There are (there) common people and officers; there are the altars of the spirits of the land and grain. Why must one read books before he can be considered to have learned?" The Master said, "It is on this account that I hate your glib- tongued people."

【注释】［1］贼:坑害。［2］社稷:指祭祀土地神和谷神的地方。［3］佞:能言善辩,花言巧语。

【译文】子路让子羔（高柴）做费邑的长官。孔子说："子羔还未学成，这是坑害别人的儿子。"子路说："那里有民众，有社稷，治民事神皆可学，为什么一定要读书才算是做学问呢？"孔子说："你这般狡辩，所以我更厌恶那些巧嘴善辩、强词夺理之人。"

【解读】子羔，卫国人，憨直忠厚，与子路是好友。彼时子路做季氏家臣，子羔还在求学，子路就推荐他做费邑的地方官。孔子明确表示反对，认为子羔学问尚未纯熟，不懂为官之道，若派他去做官，会误事误人，无异于害他。《公冶长》篇记载：孔子让弟子漆雕开去做官。漆雕开回答说："我对为官之道还未弄明白。"意思是还需要继续学习。孔子听了很高兴。孔子主张"学而优则仕"，一个人真正学好了各种知识技能，才可以去做官。

11.25

子路、曾皙[1]、冉有、公西华侍坐。

子曰:"以吾一日长乎尔,毋吾以也。居[2]则曰:'不吾知也!'如或知尔,则何以哉?"

子路率尔而对曰:"千乘之国,摄[3]乎大国之间,加之以师旅,因[4]之以饥馑,由也为之,比及三年,可使有勇,且知方也。"夫子哂[5]之。

"求!尔何如?"

对曰:"方六七十,如[6]五六十,求也为之,比及三年,可使足民。如其礼乐,以俟君子。"

"赤!尔何如?"

对曰:"非曰能之,愿学焉。宗庙之事,如会同[7],端章甫[8],愿为小相焉。"

"点!尔何如?"

鼓瑟希,铿尔,舍瑟而作,对曰:"异乎三子者之撰[9]。"子曰:"何伤[10]乎?亦各言其志也。"

曰："莫春者，春服既成，冠者[11]五六人，童子六七人，浴乎沂，风乎舞雩[12]，咏而归。"

夫子喟然叹曰："吾与[13]点也！"

三子者出，曾皙后。曾皙曰："夫三子者之言何如？"

子曰："亦各言其志也已矣。"

曰："夫子何哂由也？"

曰："为国以礼，其言不让，是故哂之。"

"唯求则非邦也与？"

"安见方六七十如五六十而非邦也者？"

"唯赤则非邦也与？"

"宗庙会同，非诸侯而何？赤也为之小，孰能为之大？"

Tsze-lu, Tsang Hsi, Zan Yu, and Kung-hsi Hwa were sitting by the Master. He said to them, "Though I am a day or so older than you, do not think of that." From day to day you are saying, 'We are not known.' If some ruler were to know you, what would you like to do?"

Tsze-lu hastily and lightly replied, "Suppose the case of a state of ten thousand chariots; let it be straitened between other large states; let it be suffering from invading armies; and to this let there be added a famine in corn and in all vegetables: — if I were intrusted with the government of it, in three years' time I could make the people to be bold, and to recognise the rules of righteous conduct." The Master smiled at him.

Turning to Yen Yu, he said, "Ch'iu, what are your wishes?" Ch'iu replied, "Suppose a state of sixty or seventy *li* square, or one of fifty or sixty, and let me have the government of it; — in three years' time, I could make plenty to abound among the people. As to teaching them the principles of propriety, and music, I must wait for the rise of a superior man to do that."

"What are your wishes, Ch'ih?" said the Master next to Kung-hsi Hwa.

Ch'ih replied, "I do not say that my ability extends to these things, but I should wish to learn them. At the services of the ancestral temple, and at the audiences of the princes with the sovereign, I should like, dressed in the dark square-made robe and the black linen cap, to act as a small assistant."

Last of all, the Master asked Tsang Hsi, "Tien, what are your wishes?"

Tien, pausing as he was playing on his lute, while it was yet twanging, laid the instrument aside, and rose. "My wishes," he said, "are different from the cherished purposes of these three gentlemen." "What harm is there in that?" said the Master; "do you also, as well as they, speak out your wishes."

Tien then said, "In this, the last month of spring, with the dress of the season all complete, along with five or six young men who have assumed

59

the cap, and six or seven boys, I would wash in the
I, enjoy the breeze among the rain altars, and return
home singing."

The Master heaved a sigh and said, "I give my
approval to Tien."

The three others having gone out, Tsang Hsi
remained behind, and said, "What do you think of
the words of these three friends?"

The Master replied, "They simply told each one
his wishes."

Hsi pursued, "Master, why did you smile at
Yu?"

He was answered, "The management of a state
demands the rules of propriety. His words were not
humble; therefore I smiled at him."

Hsi again said, "But was it not a state which
Ch'iu proposed for himself?"

The reply was, "Yes; did you ever see a
territory of sixty or seventy *li* or one of fifty or sixty,

which was not a state?"

Once more, Hsi inquired, "And was it not a state which Ch'ih proposed for himself?"

The Master again replied, "Yes, who but princes have to do with ancestral temples, and with audiences but the sovereign? If Ch'ih were to be a small assistant in these services, who could be a great one?"

【注释】［1］曾皙（xī）：名点，曾参之父。孔子的早期弟子。［2］居：平时。［3］摄：夹处。［4］因：增添。［5］哂（shěn）：微笑，含有轻蔑的意味。［6］如：或。［7］会同：诸侯国盟会。［8］端：玄端，礼服名；章甫礼帽名。［9］撰（xuǎn）：同"选"，选择。［10］伤：妨害。［11］冠者：成年人。男子20岁加冠，行成人礼。［12］舞雩（yú）：舞雩台，跳舞祈雨之处，在曲阜城南沂河北岸。［13］与：赞同。

【译文】子路、曾皙、冉有、公西华在孔子身旁陪坐。

孔子说:"我比你们年长一些,但不要因我年长而拘束。你们平时说:'不了解我啊。'如果有人要了解你们,那么你们该怎么做呢?"

子路不假思索、脱口而出:"拥有一千辆兵车的国家,夹处在大国之间,外加军事侵犯,内增连年饥荒,我仲由去治理它,等到三年,可使民众有勇气,并且懂得道义。"孔子轻蔑地微微一笑。

(孔子问:)"冉求!你怎么样?"

(冉求)回答道:"国土纵横六七十里,或五六十里,我去治理,等到三年,可使民众富足。至于礼乐教化,那就有待君子推行了。"

(孔子问:)"公西赤!你怎么样?"

(公西赤)回答道:"不敢说我能做到什么,但愿进一步学习。比如宗庙祭祀之事,或者同外国盟会的仪式，穿戴好礼服礼帽，愿做一名小司仪。"

（孔子又问：）"曾点！你怎么样？"

曾点弹瑟的声音渐渐稀落，铿的一声，放下瑟站了起来，答道："不同于三位的选择。"

孔子说："何妨呢？也不过是各自谈谈志向。"

（曾点）说："暮春时节，春服已经换上，约上成年五六人，少年六七人，在沂河里洗洗澡，在舞雩坛上吹吹风，然后唱着歌归来。"

孔子喟然叹道："我赞同曾点的说法！"

子路、冉有、公西华三人出去了，曾晳在最后。曾晳问道："他们三人的话怎么样？"

孔子说："也不过是各自谈谈志向罢了。"

（曾晳）问："先生为什么笑仲由呢？"

（孔子）说："治理国家应讲礼让，而他的话毫不谦让，所以笑他。"

（曾晳问：）"难道冉求讲的不是治理国家吗？"

（孔子说：）"怎见得疆土纵横六七十里或五六十里不是国家呢？"

（曾皙问：）"难道公西赤讲的不是治理国家吗？"

（孔子说：）"宗庙祭祀，外交会见，不是诸侯国的事又是什么？公西赤如果只能做一个国家的小司仪，那谁还能做一个国家的大司仪？"

【解读】本篇内容是孔子启发弟子们谈自己的志向理想，并对弟子们所谈的内容和态度，表达不同的看法。结构首尾完整，人物形象鲜明，通过对话表现了各人不同的意趣、性格和志向，勾勒出了一幅先贤论志的图画。子路性格直率而粗疏，冉有、公西华在孔子点名以后才发表自己的见解，相对平易、谦和。这三人所谈的内容，都与政治有关，子路谈强兵，冉有谈富民，公西华谈知礼。唯有曾皙所谈具有"独识时变"的特点，符合孔子特定时期"道不行，乘桴浮于海"的超脱思想，所以得到了孔子的赞许。但我们要全面认识孔子。面对礼坏乐崩的社会败局，他的基本人生态度是积极治世、救世的：五十岁之前办私学，培养治世人才；接着是从政，在中都宰、鲁司寇任上政绩斐然；五十四岁之后，周游列国，一方面宣传治世思想，一方面寻求被任用机会。面对陈蔡绝粮、匡地遭围、桓魋追杀，凭着"知其不可而为之"的坚韧毅力，他竟然坚持了十四年之久。其间遇到隐士劝说："浊浪滔滔，天下大乱，谁能改变？你应该随从我们避世！"孔子毅然回答："鸟兽不可与之同群，我不跟这天下人同类而跟谁呢？天下如果有道的话，我就不用做这改变世道的事情了！"（《论语·微子》）由此可见，积极救世是他的主流思想。

颜渊第十二

Book 12. Yen Yuan

12.1

　　颜渊问仁。子曰："克己复礼为仁。一日克己复礼，天下归仁焉。为仁由己，而由人乎哉？"颜渊曰："请问其目。"子曰："非礼勿视，非礼勿听，非礼勿言，非礼勿动。"颜渊曰："回虽不敏，请事斯语矣。"

Yen Yuan asked about perfect virtue. The Master said, "To subdue one's self and return to propriety, is perfect virtue. If a man can for one day subdue himself and return to propriety, all under heaven will ascribe perfect virtue to him. Is the practice of perfect virtue from a man himself, or is it from others?" Yen Yuan said, "I beg to ask the steps of that process." The Master replied, "Look not at what is contrary to propriety; listen not to what is contrary to propriety; speak not what is contrary to propriety; make no movement which is contrary to propriety." Yen Yuan then said, "Though I am deficient in intelligence and vigour, I will make it my business to practise this lesson."

【译文】颜渊问什么是仁。孔子说："克制自己，使言行归合于礼就是仁。人人一旦克己复礼，天下的一切就都归于仁了。涵养仁德全靠自己，还靠别人吗？"颜渊说："请问涵养仁德的具体条目。"孔子说："不符合礼的事不看，不符合礼的话不听，不符合礼的话不说，不符合礼的事不做。"颜渊说："我颜回虽然不聪敏，请让我按照这话努力去做吧。"

【解读】"仁"是孔子思想的核心。儒学中的"仁"，从本质上讲就是"爱人"，它是人内心的一种修养，自己要有坚定的意志和长期的专注，由衷而发。本章是说，克制或约束自己，使自己的一切言行都归合（符合）于礼，就是仁。仁和礼是相通的，仁是内在，礼是外在，只要事事依礼而行，也就等于是仁了。人人克己复礼，天下就成了充满仁德的天下。孔子还特别强调：涵养仁德在于自己，自觉行仁，不靠别人督促。

12.2

仲弓问仁。子曰："出门如见大宾，使民如承大祭。己所不欲，勿施于人。在邦无怨，在家无怨。"仲弓曰："雍虽不敏，请事斯语矣。"

Chung-kung asked about perfect virtue. The Master said, "It is, when you go abroad, to behave to every one as if you were receiving a great guest; to employ the people as if you were assisting at a great sacrifice; not to do to others as you would not wish done to yourself; to have no murmuring against you in the country, and none in the family." Chung-kung said, "Though I am deficient in intelligence and vigour, I will make it my business to practise this lesson."

【译文】仲弓问什么是仁。孔子说："出门待人要像接见贵宾一样敬慎，使唤老百姓要像举行重大的祭典一样小心。自己不想要的，不要强加给别人。这样，在诸侯国做事不招致怨恨，在卿大夫家做事不招致怨恨。"仲弓说："我冉雍虽然不聪敏，请让我按照这话努力去做吧。"

【解读】这里是孔子对他的学生仲弓论说"仁"的一段话。从孔子对仲弓的回答中可见要做到"仁"，有两点：一是待人要恭敬；二是自己不想做的也不要强加给别人。成语"己所不欲，勿施于人"便出自于此。"己所不欲，勿施于人"是人际平等交往最基本的原则，也是仁爱的一种具体体现，更是全人类都应当遵循的一项基本要求。耶稣也曾言："你们愿意人怎样对待你们，你们也要怎样对待人。"这与孔子的"己所不欲，勿施于人"有着共同的理念。

12.3

司马牛问仁。子曰："仁者，其言也讱[1]。"
曰："其言也讱，斯谓之仁已乎？"子曰："为
之难，言之得无讱乎？"

Sze-ma Niu asked about perfect virtue. The
Master said, "The man of perfect virtue is cautious
and slow in his speech." "Cautious and slow in
his speech!" said Niu; — "is this what is meant by
perfect virtue?" The Master said, "When a man feels
the difficulty of doing, can he be other than cautious
and slow in speaking?"

【注释】［1］讱（rèn）：不轻易说出，说话谨慎。

【译文】司马牛问什么是仁。孔子说："仁德
的人，他说话是谨慎的。"司马牛说："说
话谨慎，这就叫作仁了吗？"孔子说："事

情做起来很难，说话能不谨慎吗？”

【解读】据《史记·仲尼弟子列传》记载，司马牛话多而性情急躁，孔子针对他的性格缺陷回答了什么是仁。在这里孔子因材施教，其目的就是告诉他生活中说话要和缓谨慎，凡事不能张口就来；话中留有余地，何尝不是一种仁的表现？如此，于人于己都有好处。生活中往往如此，话说得容易，做起来却很难，或者是强人所难。“言讱”，是一亘古不变的警言，对我们为人做事有很好的警示作用。

12.4

司马牛问君子。子曰："君子不忧不惧。"
曰："不忧不惧，斯谓之君子已乎？"子曰：
"内省不疚，夫何忧何惧？"

Sze-ma Niu asked about the superior man. The
Master said, "The superior man has neither anxiety
nor fear." "Being without anxiety or fear!" said Niu;
— "does this constitute what we call the superior
man?" The Master said, "When internal examination
discovers nothing wrong, what is there to be anxious
about, what is there to fear?"

【译文】司马牛问什么是君子。孔子说："君子
不忧愁不畏惧。"司马牛说："不忧愁不畏惧，
这就叫作君子了吗？"孔子说："内心自省，
问心无愧，哪还有什么可忧愁可畏惧的呢？"

【解读】"君子不忧不惧"与"君子坦荡荡"是异曲同工的。司马牛不但话多性急，还似乎领悟力较差，傻呵呵地觉得不忧不惧就能成为君子，好像简单了些。孔子随即跟了一句："内省不疚，夫何忧何惧？"想必震惊了司马牛，也震惊了后来者。是啊！一个人没有做过对不起任何人的事，自己内心哪有什么愧疚，有何忧惧？内省不疚，其实是一个崇高的精神境界。俗话说："为人不做亏心事，半夜敲门心不惊。"行走天地间，心胸坦荡荡，这是一种生命的坦然。

12.5

司马牛忧曰："人皆有兄弟，我独亡[1]。"子夏曰："商闻之矣：死生有命，富贵在天。君子敬而无失，与人恭而有礼，四海之内皆兄弟也。君子何患乎无兄弟也？"

Sze-ma Niu, full of anxiety, said, "Other men all have their brothers. I only have not." Tsze-hsia said to him, "There is the following saying which I have heard: —'Death and life have their determined appointment; riches and honours depend upon Heaven.' Let the superior man never fail reverentially to order his own conduct, and let him be respectful to others and observant of propriety: — then all within the four seas will be his brothers. What has the superior man to do with being distressed because he has no brothers?"

【注释】〔1〕亡（wú）：无。

【译文】司马牛忧愁地说："别人都有兄弟，唯独我没有。"子夏说："我卜商听说，死和生都由命运决定，富和贵全在于上天安排。君子敬慎而无过失，对人恭敬而有礼貌，那么四海之内的人都会是自己的兄弟。君子何必担忧自己没有兄弟呢？"

【解读】从此章的司马牛之忧来看，他的智慧真是没有子夏高明，不过心地是善良的，他渴望兄弟之情。子夏所言"死生有命，富贵在天"千古流传，为我们所熟知。"命"与"天"，在古人看来是不为自己所把握掌控的，是难以预料的。即便是当今，人们有时还会在难以预料的事发生在自己身上时依然无奈地归咎"命"与"天"。除去自己不能把控的天命因素，有敬事恭人德行的人，是不会孤独的。有德之人不会孤立无援，身边也不司馬牛憂曰：「人皆有兄弟，我獨亡。」子夏曰：「商聞之矣：死生有命，富貴在天。君子敬而無失，與人恭而有禮，四海之內，皆兄弟也。君子何患乎無兄弟也？」

語出顏淵篇第五章

乙亥秋月張仲亭書

錄《論語》句　張仲亭　書

会缺少追随者，必定会有同他亲近的朋友。

"四海之内皆兄弟"也成为千古名言。

12.6

子张问明。子曰："浸润之谮[1]，肤受之愬[2]，不行焉，可谓明也已矣。浸润之谮，肤受之愬，不行焉，可谓远也已矣。"

Tsze-chang asked what constituted intelligence. The Master said, "He with whom neither slander that gradually soaks into the mind, nor statements that startle like a wound in the flesh, are successful, may be called intelligent indeed. Yea, he with whom neither soaking slander, nor startling statements, are successful, may be called farseeing."

【注释】[1]谮(zèn)：谗言，诬陷。[2]愬(sù)：谗毁，诽谤。

【译文】子张问怎样才是明察。孔子说："像水滴浸润而不易察觉的谗言，像皮肤受尘那样轻微而不易察觉的毁谤，在你那里行不通，就可以称为明察秋毫了。像水滴浸润而不易察觉的谗言，像皮肤受尘那样轻微而不易察觉的毁谤，在你那里行不通，也就可以称为远见卓识了。"

【解读】谁都懂兼听则明的道理，可是很多时候谗言、诽谤不时地侵蚀你的思维，如果你没有明察秋毫的能力，你就会被谗言蒙蔽双眼，丧失了正确判断。假如一个人，特别是掌握权力的人丧失了对事物的正确判断，后果很严重，非常可怕。历史上为谗言、诽谤所致误国误民的例子比比皆是，历朝历代时时出现。战国时期，屈原才华横溢，怀有满腔报国热忱，他对内改善政治，对外连齐抗秦，倾心辅佐楚怀王，却遭到了上官大夫靳尚等人的嫉妒和排挤。靳尚为取得楚怀王的宠信，不断在楚怀王面前说屈原的坏话，可悲的是楚怀王听信谗言，不分忠奸，渐渐疏远了屈原，后来又罢免了他的左徒职务，继而将屈原流放外地。所以为政者，要明辨是非，明察秋毫，不要被一些表象迷惑。

12.7

子贡问政。子曰："足食，足兵，民信之矣。"
子贡曰："必不得已而去，于斯三者何先？"
曰："去兵。"子贡曰："必不得已而去，
于斯二者何先？"曰："去食。自古皆有死，
民无信不立。"

Tsze-kung asked about government. The
Master said, "The requisites of government are that
there be sufficiency of food, sufficiency of military
equipment, and the confidence of the people in
their ruler." Tsze-kung said, "If it cannot be helped,
and one of these must be dispensed with, which of
the three should be foregone first?" "The military
equipment," said the Master. Tsze-kung again asked,
"If it cannot be helped, and one of the remaining
two must be dispensed with, which of them should
be foregone?" The Master answered, "Part with the

food. From of old, death has been the lot of all men;
but if the people have no faith in their rulers, there is
no standing for the state."

【译文】子贡问为政之道。孔子说："要备足
粮食，备足兵力，取信于民。"子贡说："如
果迫不得已要去掉一项，在这三项中应先去
掉哪一项？"孔子说："去掉军备。"子贡说：
"如果迫不得已要再去掉一项，在这两项中
应先去掉哪一项？"孔子说："去掉粮食。
自古以来谁都免不了死，但如果失去了民众
的信任，国家就根本立不住。"

【解读】此章强调了"取信于民"的重要性。信
不仅是个人品行的重要体现，也是为政者的
基本道德操守，更是立国的重要基础。我国
古代有徙木立信的典故，说的是战国时期商
鞅在秦国变法，为了取信于民，派人在城中
竖立一木，说谁能将此木搬到城门，赏赐十金。

搬一根木头就可以拿到十金，民众无人相信。后来他把赏赐加到五十金，有人试着把木头搬到城门，果然获赏五十金。这则典故就告诫后人，做人要言而有信。

12.8

棘子成[1]曰："君子质而已矣，何以文为？"子贡曰："惜乎！夫子之说君子也。驷[2]不及舌。文犹质也，质犹文也。虎豹之鞟[3]犹犬羊之鞟。"

Chi Tsze-ch'ang said, "In a superior man it is only the substantial qualities which are wanted; why should we seek for ornamental accomplishments?" Tsze-kung said, "Alas! Your words, sir, show you to be a superior man, but four horses cannot overtake the tongue. Ornament is as substance; substance is as ornament. The hide of a tiger or a leopard stripped of its hair, is like the hide of a dog or a goat stripped of its hair."

【注释】［1］棘子成：卫国大夫。［2］驷：套着四匹马的车子。［3］鞟（kuò）：去毛的皮，皮革。

【译文】棘子成说："君子有其美质也就罢了，何必要那些外表的文饰呢？"子贡说："可惜啊！您竟然这么谈论君子。一言出口，驷马难追。文如同质一样重要，质如同文一样重要。如果去掉毛色花纹，虎豹的皮就与狗皮、羊皮一样了。"

【解读】此章谈论的是君子的"质"与"文"。就本文来讲，质，指本质；文，指外在。依棘子成所言，君子具备了本质的美就可以了，不必再注重外在修饰。但君子是讲究内外兼修的。修内为"质"，即具有渊博的文化知识，表现为聪明、明察、坚强、果毅、正直、忠诚、公正；修外为"文"，即内心的恭和敬表现为外在的举止有礼、行为规范。它们相辅相成，文质合一。诚如当下物质文明与精神文明之关系，二者兼备，才是真正的文明。

12.9

哀公问于有若曰："年饥，用不足，如
之何？"有若对曰："盍彻[1]乎？"曰："二，
吾犹不足，如之何其彻也？"对曰："百姓足，
君孰与[2]不足？百姓不足，君孰与足？"

The duke Ai inquired of Yu Zo, saying,
"The year is one of scarcity, and the returns for
expenditure are not sufficient; what is to be done?"
Yu Zo replied to him, "Why not simply tithe the
people?" "With two tenths," said the duke, "I find it
not enough; how could I do with that system of one
tenth?" Yu Zo answered, "If the people have plenty,
their prince will not be left to want alone. If the
people are in want, their prince cannot enjoy plenty
alone."

【注释】［1］彻：周代十分取一的田税制度。

[2] 孰与：古汉语固定结构，常表示反问，这里可以理解为"如何"。

【译文】鲁哀公向有若问道："年景饥荒，用度不足，怎么办？"有若回答说："何不用十分之一的彻法呢？"哀公说："已经十分取二，我还感到不足，再怎么能用彻法呢？"有若回答说："老百姓富足了，国君如何会不富足？老百姓不富足，国君如何会富足？"

【解读】此章讲到的是税收之问，体现出儒家原始的民本思想。按照周礼的规定，田税是"彻"，即当年收成的十分之一，可鲁国所征已是十分之二，这本身就是不合乎礼制。有若不愧为孔子的高徒，头脑机警，反应敏捷，一问一答之中充满了智慧，使哀公反思，使后人沉思。有若的回答，与其师孔子面对哀公问政时所回答的"省力役，薄赋敛，则民富矣"（《孔子家语》），思想是一致的。

12.10

子张问崇德辨惑。子曰:"主忠信,徙^[1]义,崇德也。爱之欲其生,恶之欲其死。既欲其生,又欲其死,是惑也。'诚不以富^[2],亦祇^[3]以异。'"

Tsze-chang having asked how virtue was to be exalted, and delusions to be discovered, the Master said, "Hold faithfulness and sincerity as first principles, and be moving continually to what is right; this is the way to exalt one's virtue. You love a man and wish him to live; you hate him and wish him to die. Having wished him to live, you also wish him to die. This is a case of delusion. 'It may not be on account of her being rich, yet you come to make a difference.' "

【注释】[1]徙:邢昺《论语注疏》解作"迁",

"见义事则迁意而从之"。杨朝明《论语诠解》解作"趋","听到道义之事就能够照着做"。杨伯峻《论语译注》、孙钦善《论语本解》均译作"唯义是从"。黄怀信《论语新校释》认为"徙"是"從"字之误，将原文改作"从"字。〔2〕富：备。〔3〕祇（zhī）：适，恰。

【译文】子张问怎样提高道德修养、分辨迷惑。孔子说："注重忠信，遵从道义，就提高道德修养了。喜爱一个人，便想要他永远活着；厌恶他时，又想要他马上死掉。既想要他生，又想要他死，爱恶无常，这就是迷惑。《诗经·小雅·我行其野》说：'诚然不能算考虑周备，而恰恰令人怪疑。'"

【解读】孔子认为，做到崇德辨惑的根本就是注重忠信、遵从道义。一个讲忠信、讲道义的人，不会爱恶无常。杨朝明《论语诠解》道："本章是孔子教育子张如何崇德辨惑。崇德与辨惑看似是两个问题，实际上崇德可以看作辨惑的条件。所谓崇德就是崇尚、尊崇道德。具体的做法就是亲近忠信之人，行使存义之事，以此提高自己内在的修为，这样便容易明白事理。如果依据事物本身的好坏，而不是依据自己反复无常的情感来明其好恶，也就可以远离迷惑。子张的性格好偏激，如《先进》言'师也辟'，大概其好感情用事，难以知人听言，所以孔子据其特点而教育他。"

12.11

齐景公问政于孔子。孔子对曰："君君，臣臣，父父，子子。"公曰："善哉！信如君不君，臣不臣，父不父，子不子，虽有粟，吾得而食诸？"

The duke Ching, of Ch'i, asked Confucius about government. Confucius replied, "There is government, when the prince is prince, and the minister is minister; when the father is father, and the son is son." "Good!" said the duke; "if, indeed; the prince be not prince, the minister not minister, the father not father, and the son not son, although I have my revenue, can I enjoy it?"

【译文】齐景公向孔子问为政之道。孔子回答说："君要行君道，臣要行臣道，父要行父道，子要行子道。"景公说："太好了！如果真的君不像君，臣不像臣，父不像父，子不像子，即使有粮食，我能吃得到吗？"

【解读】春秋时期，新兴地主阶级冲击上层社会，社会变动加剧，使当时的等级名分受到破坏，弑君父之事屡有发生，孔子认为这是国家动乱的主要原因。所以他十分推崇"君君、臣臣、父父、子子"的理念，认为只有如此，才能恢复社会的等级秩序，国家才能得到很好的治理。"君君，臣臣，父父，子子"，讲明了人与人、人与社会等级关系及其所担当的社会责任。君臣父子各尽其责，社会自然安定有序。

12.12

子曰："片言可以折狱[1]者，其由也与？"
子路无宿诺[2]。

The Master said, "Ah! it is Yu, who could with
half a word settle litigations!" Tsze-lu never slept
over a promise.

【注释】［1］片言：单方言辞。"片"有"单"
义。《广雅》："片，禅也。"王念孙疏证：
"禅与单通。"折狱：断狱。［2］宿诺：隔
夜的诺言。

【译文】孔子说："据单方言辞就可判案的人，
大概就是仲由吧？" 子路没有久拖不兑现的
诺言。

【解读】子路给今人的印象，以"勇"著称，

是鲁莽、不修边幅的武夫形象，这是历史把他过滤太多的缘故。朱熹在《四书章句集注》中说："子路忠信明决，故言出而人信服之，不待其辞之毕也。……急于践言，不留其诺也。"《春秋左传》里就记载了小邾国有人想带着领土归属鲁国的故事，此人不信什么誓言盟约，单单就信子路，让子路做保人，可见彼时的子路信誉之高。正是因为子路忠信明决，兑现诺言快，原告被告都信任他，所以能做到"片言可以折狱"。

12.13

> 子曰："听讼，吾犹人也。必也使无讼乎？"

The Master said, "In hearing litigations, I am like any other body. What is necessary, however, is to cause the people to have no litigations."

【译文】孔子说："听讼判案，我和别人差不多。能不能一定让人们没有诉讼呢？"

【解读】这话应是孔子做鲁国大司寇，处理刑狱案件时所言。孔子的本意是，大大减少诉讼乃至无诉讼。要实现这一良好愿望，只有通过道德教化，教育人们遵道德，守礼法，以至无争无讼。《孔子家语·相鲁》记载："孔子初仕，为中都宰。制为养生送死之节。长幼异食，强弱异任，男女别涂；路无拾遗，器不雕伪。……由司空为鲁大司寇，设法而

不用，无奸民。"孔子推行德教德政，民风
治理得好，设立了法规也用不着，因为没有
违法乱纪的奸民。

12.14

子张问政。子曰："居之无倦，行之以忠。"

Tsze-chang asked about government. The Master said, "The art of governing is to keep its affairs before the mind without weariness, and to practise them with undeviating consistency."

【译文】子张问为政之道。孔子说："身居官位不懈倦，执行政令要忠诚。"

【解读】孔子关于为政之道的论述不少，"为政以德"自古以来被官场奉为圭臬，但"居之无倦，行之以忠"在当今鲜有耳闻能诵者。这里其实讲到的是一种敬业精神，一种从政为官之人的敬业，那就是：在其位尽心尽职，忠于职守，忘我实干，勇于奉献。

论
语

12.15

子曰："博学于文，约之以礼，亦可以弗畔[1] 矣夫！"

The Master said, "By extensively studying all learning, and keeping himself under the restraint of the rules of propriety, one may thus likewise not err from what is right."

【注释】［１］畔：同"叛"。

【译文】孔子说："广泛地学习文化，用礼来约束自己，也就可以不离经叛道了。"

【解读】教育的目的是什么？此章孔子有明确的回答。孔子的理想国是井然有序的社会，虽然学习是立身之本、成事之基，但最终目的是服从于社会并服务于社会。所以他强调"约之以礼",在拥有了丰富知识后,才能有比较、有见解,才知有可为,有可不为、离经叛道的事情是孔子不愿看到的。

12.16

子曰："君子成人之美，不成人之恶。小人反是。"

The Master said, "The superior man seeks to perfect the admirable qualities of men, and does not seek to perfect their bad qualities. The mean man does the opposite of this."

【译文】孔子说："君子成全别人的好事，不成全别人的坏事。小人与此相反。"

【解读】成人之美，至今仍为人们所推崇。它是一种高尚的行为，是助人为乐、利人利众的君子表现；它是一种仁义，更是一种境界；它是对善良和责任的坚持，也是对共同体意识的回应。著名社会学家费孝通先生曾说，"各美其美，美人之美，美美与共，天下大同"。

在陌生人社会，每一个人的举手之劳，可以
点亮并温暖别人的世界。

12.17

季康子问政于孔子。孔子对曰："政者，
正也。子帅以正，孰敢不正！"

Chi K'ang asked Confucius about government.
Confucius replied, "To govern means to rectify. If
you lead on the people with correctness, who will
dare not to be correct?"

【译文】季康子向孔子问为政之道。孔子回答说：
"政，就是正的意思。你在上位的带头正派，
在下位的谁敢不正派！"

【解读】人们常说做人要正派，要做正直的人，
何况是为政者。孔子在这里强调的是为政者
要起模范带头作用，自身正，才能使民众
的行为正。这与"君子之德风，小人之德草"
是一个道理。领导干部率先垂范体现的是

一种态度，树立的是一面旗帜，展现的是
一种作风，凝聚的是一种力量，引领的是
一种风尚。

12.18

季康子患盗，问于孔子。孔子对曰："苟子之不欲，虽赏之不窃。"

Chi K'ang, distressed about the number of thieves in the state, inquired of Confucius how to do away with them. Confucius said, "If you, sir, were not covetous, although you should reward them to do it, they would not steal."

【译文】季康子担忧盗贼的猖獗，向孔子请教对策。孔子回答说："如果你自己不贪财，即使奖励他们盗窃，他们也不会盗窃。"

【解读】"盗"从何来？为政者"非礼"之故。这里孔子论述的仍然是"上行下效"的问题，很有画面感。季康子请教如何治理遍布鲁国的偷盗问题，孔子是不留情面的，当政者贪婪无度，整个社会就会进入混乱状态，就难免盗贼蜂起。

12.19

　　季康子问政于孔子曰："如杀无道，以就有道，何如？"孔子对曰："子为政，焉用杀？子欲善而民善矣。君子之德风，小人之德草。草上之风，必偃[1]。"

Chi K'ang asked Confucius about government, saying, "What do you say to killing the unprincipled for the good of the principled?" Confucius replied, "Sir, in carrying on your government, why should you use killing at all? Let your evinced desires be for what is good, and the people will be good. The relation between superiors and inferiors, is like that between the wind and the grass. The grass must bend, when the wind blows across it."

【注释】 [1] 偃（yǎn）：仆，倒。

【译文】季康子向孔子问为政之道，说"如果惩杀无道的坏人，成就有道的好人，怎么样？"孔子回答说："你治理国政，哪里用得着杀人？你自己想要从善，老百姓也就从善了。为政者的道德好比风，老百姓的道德好比草。风吹到草上，草一定随风倒伏。"

【解读】季康子是一个想干事业的人，也是一个不耻下问的人。可是，季康子理政注重刑法惩罚，与孔子强调的仁政有冲突。此时孔子再次耐心强调"子欲善而民善矣"的道理，并用了一个比喻，草随风动，既生动又形象。在孔子看来，以"杀"治国，是无知的表现，也是无德的体现，孔子一直强调的是"道之以德，齐之以礼"。"君子之德风，小人之德草"早已是千古名句，被历代贤良之士铭刻在心，并加以践行。

12.20

子张问："士何如斯可谓之达矣？[1]"
子曰："何哉，尔所谓达者？"子张对曰："在
邦必闻，在家必闻。"子曰："是闻也，非
达也。夫达也者，质直而好义，察言而观色，
虑以下人。在邦必达，在家必达。夫闻也者，
色取仁而行违，居之不疑。在邦必闻，在家
必闻。"

Tsze-chang asked, "What must the officer be,
who may be said to be distinguished?" The Master
said, "What is it you call being distinguished?" Tsze-
chang replied, "It is to be heard of through the state,
to be heard of throughout his clan." The Master said,
"That is notoriety, not distinction." Now the man of
distinction is solid and straightforward, and loves
righteousness. He examines people's words, and
looks at their countenances, He is anxious to humble

himself to others. Such a man will be distinguished in the country; he will be distinguished in his clan. "As to the man of notoriety, he assumes the appearance of virtue, but his actions are opposed to it, and he rests in this character without any doubts about himself. Such a man will be heard of in the country; he will be heard of in the clan."

【注释】 ［1］士：介于大夫和庶民之间的阶层。诸侯设置上士、中士、下士三等官阶。达：通达，显达。

【译文】 子张问："士怎样才可称得上达？"孔子说："你所说的达是什么意思？"子张回答说："在诸侯国任职一定有名声，在大夫家任职一定有名声。"孔子说："这是有名声，而不是达。所谓达，品质正直，爱好仁义，善于观察别人言语和容色，时常考虑着谦居人下。这样的人，在诸侯国任职一定能显达，在大夫家任职一定能显达。所谓闻，表面上似乎是在追求仁，而行动上却在违背仁，竟然还以仁人自居而不知怀疑。这样的人，在诸侯国任职一定能骗取虚名，在大夫家任职一定能骗取虚名。"

【解读】子张向孔子请教"士"怎样才能称得上达人，孔子当时似乎不太理解子张问话的意思。从此文看，子张的所谓"达"，是追求名声，成为名人。这与孔子所提倡的"己欲达而达人"之"达"有差距。孔子认为，名声只是一种表象，可以沽名钓誉，可以弄虚作假，未必能得到人们的真心赞许。具备了高尚的品质，无论在何地都会受人敬重，这才是真正的"达人"。最可怕的是，那些沽名钓誉、徒有虚名的人，有了点名气，就把自己当作"达人"。此章很有借鉴意义，提醒我们踏踏实实做人做事，不搞形式，不慕虚名。

12.21

　　樊迟从游于舞雩之下，曰："敢问崇德、修慝[1]、辨惑。"子曰："善哉问！先事后得，非崇德与？攻其恶，无攻人之恶，非修慝与？一朝之忿，忘其身，以及其亲，非惑与？"

Fan Ch'ih rambling with the Master under the trees about the rain altars, said, "I venture to ask how to exalt virtue, to correct cherished evil, and to discover delusions." The Master said, "Truly a good question!" If doing what is to be done be made the first business, and success a secondary consideration; — is not this the way to exalt virtue? To assail one's own wickedness and not assail that of others; — is not this the way to correct cherished evil? For a morning's anger to disregard one's own life, and involve that of his parents; — is not this a case of delusion?"

【注释】 ［1］慝（tè）：邪恶。

【译文】樊迟随从孔子闲游于舞雩台下，说："请问怎样才能提高道德修养、修治恶念、分辨迷惑。"孔子说："问得好！先去做，后获得，不是提高道德修养的方法吗？反思自己的过错，不指责别人的过错，不是修治恶念的方法吗？由于一时的气愤，就忘记了自身的安危，以至牵连自己的亲人，这不就是迷惑吗？"

【解读】樊迟入孔门较晚，应该是孔子晚年所收的弟子。樊迟年纪小孔子三十岁，人也比较愚笨，但求知欲较强，很喜欢提问。樊迟之问，似乎出乎孔子的预料，他大喜过望，这可是很高深的问题啊。孔子认为，要想提高自己的道德修养，必须先踏踏实实认认真真地做事，通过为人处事的生活实践，来获取一些方面还存在不足的心得。即在点滴的社会活动中对照现实找差距，正确认识自己，如此方能提高自己的道德修养。然后严格要求自己，不要过多地去指责别人，还要注意克服感情冲动的毛病，不要急于求成，不要以自身的安危作为代价，这就可以辨别迷惑。本篇第 10 章"子张问崇德辨惑"，孔子的回答则与本章有明显不同，体现了孔子因人而异的教学特点和因材施教的教育理念。

12.22

樊迟问仁。子曰："爱人。"问知。子曰："知人。"樊迟未达。子曰："举直错诸枉，[1]能使枉者直。"樊迟退，见子夏。曰："乡[2]也吾见于夫子而问知，子曰：'举直错诸枉，能使枉者直。'何谓也？"子夏曰："富哉言乎！舜有天下，选于众，举皋陶[3]，不仁者远矣。汤有天下，选于众，举伊尹[4]，不仁者远矣。"

Fan Ch'ih asked about benevolence. The Master said, "It is to love all men." He asked about knowledge. The Master said, "It is to know all men." Fan Ch'ih did not immediately understand these answers. The Master said, "Employ the upright and put aside all the crooked; — in this way the crooked can be made to be upright." Fan Ch'ih retired, and, seeing Tsze-hsia, he said to him, "A Little while ago, I had an interview with our Master, and asked him about knowledge." He said, "Employ the upright, and put aside all the crooked; — in this way, the crooked will be made to be upright."

"What did he mean?" Tsze-hsia said. "Truly rich is his saying! Shun, being in possession of the kingdom, selected from among all the people, and employed Kao-yao, on which all who were devoid of virtue disappeared. T'ang, being in possession of the kingdom, selected from among all the people, and employed I Yin, and all who were devoid of virtue disappeared."

【注释】［1］错：通"措"，置。枉：曲。［2］乡：同"向"，先前。［3］皋陶（gāo yáo）：舜时掌管刑法的大臣。［4］伊尹：商汤的辅臣。

【译文】樊迟问什么是仁。孔子说："关爱人。"又问什么是知。孔子说："了解人。"樊迟没明白。孔子说："举用正直的人，把他们放在邪曲的人之上,能使邪曲的人正直起来。"
樊迟退下,见到子夏说:"刚才我见到先生,
询问什么是知,先生说:'举直错诸枉,能
使枉者直。'这话什么意思?"子夏说:"这
话的含义多么丰富啊!舜有了天下,在众人
中选拔人才,举用皋陶,不仁的人便都远去了。
汤有了天下,在众人中选拔人才,举用伊尹,
不仁的人便都远去了。"

【解读】可能是樊迟年龄较小的原因,关于
"仁""知",孔子予以低层次的解答,但
樊迟还是不得其解。孔子想了想,回答的是
不是有些抽象?于是用了一个形象的比喻加
以说明"知人"的内涵, "举直错诸枉,能
使枉者直"。樊迟有些羞愧地退了出来,子
夏听到他的转述,犹如醍醐灌顶,发出了感
慨,进一步阐述了他的见解。子夏认为"知
人"是用人的先决条件,可见子夏的智商超
出樊迟好多。舜汤之所以被后人尊崇,不正

樊迟问仁　吴泽浩　绘

是因其贤明，用人得当，才使得不仁者无立身之地？孟子说："不信仁贤，则国空虚。"作为领导，做到"知人"很重要，对忠贤和奸佞的好恶取舍，不仅关系到政治是否清明，还直接关系到事业的兴衰成败。有人总结说：人才是一种资源，有德有才堪称优品，有德无才是次品，无德无才是废品，有才无德是危险品。

12.23

子贡问友。子曰："忠告而善道[1]之，不可则止，无自辱焉。"

Tsze-kung asked about friendship. The Master said, "Faithfully admonish your friend, and skillfully lead him on. If you find him impracticable, stop. Do not disgrace yourself."

【注释】［1］道（dǎo）：同"导"。

【译文】子贡问交友之道。孔子说："友人有过错，要忠言相告，好好地劝导，实在不听就停止劝告，不要自讨羞辱。"

【解读】本章交友之道体现了孔子的中庸思想。现实生活中，闺蜜之间友谊的小船说翻就翻，自己还莫名其妙，甚至很委屈。看来交友的

确是门学问。孔子认为，与友人之间也应保
持一定的距离，发现友人有过错以忠言相告，
但话要点到为止，否则会自取其辱。朋友之间，
因一方犯了一点错误，另一方就喋喋不休，
这就会让人觉得厌烦。因此，朋友之间说话
要有分寸，把握一个度，友谊方能长久。

12.24

曾子曰："君子以文会友，以友辅仁。"

The philosopher Tsang said, "The superior man on grounds of culture meets with his friends, and by their friendship helps his virtue."

【译文】曾子说："君子以文章学问来交友，以友来辅助仁德的修养。"

【解读】曾子认为：交友的方式，要以导人向上的、有益于身心的"文"为媒介；交友的目的是，通过与友人的相互切磋学习，提高仁德修养。这与孔子所说的"朋友切切偲偲（相互切责，相互勉励）"意思相近。

子路第十三

13.1

子路问政。子曰："先之劳之。"请益。
曰："无倦。"

Tsze-lu asked about government. The Master
said, "Go before the people with your example, and
be laborious in their affairs." He requested further
instruction, and was answered, "Be not weary (in
these things)."

【译文】子路问为政之道。孔子说："要先民
而劳，做好表率。"子路请求再多讲点。孔
子说："不要倦怠。"

【解读】子路虽然有些鲁莽，但很认真，在孔
子的教导下为官从政的热情一直未减。孔子
就针对他的性格，有的放矢地回答他，尤其
指出要持之以恒，永不懈怠。历史上，统治

者但凡"先之劳之",官民无不得以同心协
力,社会无不得以长治久安,百姓无不得以
富足安康。这便是俗语所说:"火车跑得快,
全靠车头带。"

13.2

仲弓为季氏宰，问政。子曰："先有司[1]，赦小过，举贤才。"曰："焉知贤才而举之？"曰："举尔所知。尔所不知，人其[2]舍诸？"

Chung-kung, being chief minister to the head of the Chi family, asked about government. The Master said, "Employ first the services of your various officers, pardon small faults, and raise to office men of virtue and talents." Chung-kung said, "How shall I know the men of virtue and talent, so that I may raise them to office?" He was answered, "Raise to office those whom you know. As to those whom you do not know, will others neglect them?"

【注释】［1］有司：古代负责具体事务的人员。［2］其：同"岂"。

【译文】仲弓做季氏家的总管,问如何管理政务。孔子说:"先给办事人员做好表率,赦免他们的小过错,选拔贤良人才。"仲弓又问道:"怎样才能知道是贤才而选拔他呢?"孔子说:"选拔你所了解的。那些你所不了解的,别人难道会把他们舍弃吗?"

【解读】做表率,赦小过,举贤才,这是孔子给出的管理政务的三条准则。管理者要以上率下,还要容人的小过错,尤其要举荐优秀人才。管理为政,就是做人的工作,对下属的小过失不予追责,任用德才兼备的人。关键是要听取众人的建议,宽泛地识人用人,如此才有感召力,才会受人拥戴。"尔所不知,人其舍诸?"此语值得深思。

13.3

　　子路曰："卫君待子而为政，子将奚先？"子曰："必也正名[1]乎！"子路曰："有是哉？子之迂也！奚其正？"子曰："野哉由也！君子于其所不知，盖阙[2]如也。名不正，则言不顺；言不顺，则事不成；事不成，则礼乐不兴；礼乐不兴，则刑罚不中；刑罚不中，则民无所措手足。故君子名之必可言也，言之必可行也。君子于其言，无所苟而已矣。"

Tsze-lu said, "The ruler of Wei has been waiting for you, in order with you to administer the government. What will you consider the first thing to be done?" The Master replied, "What is necessary is to rectify names." "So, indeed!" said Tsze-lu. "You are wide of the mark! Why must there be such rectification?" The Master said, "How uncultivated you are, Yu! A superior man, in regard to what he does not know, shows a cautious reserve. If names be not correct, language is not in accordance with the truth of things. If language be not in accordance with the truth of things, affairs cannot be carried on to success. When affairs cannot be carried on to success, proprieties and music will not flourish. When proprieties and music do not flourish, punishments will not be properly awarded. When punishments are not properly awarded, the people do not know how to move hand or foot. Therefore a superior man considers it necessary that the names he uses may be spoken appropriately, and also that what he speaks may be carried out appropriately. What the superior man requires, is just that in his words there may be nothing incorrect."

【注释】[1]正名：正定名称、名分，使名实相符。还含有定章法、规矩的意思。[2]阙：同"缺"。

【译文】 子路说："如果卫国国君等待先生您去治理国政，您会先做什么？"孔子说："首先必须正定事物的名称名分吧！"子路说："有这样做的吗？先生您太迂腐了！名分怎么正呢？"孔子说："真粗野啊，仲由！君子对于自己不了解的事，大概应该阙而不谈吧。名分不正，那么说起来就不顺当；说起来不顺当，那么事情就办不成；事情办不成，那么礼乐就不能兴盛；礼乐不兴盛，那么刑罚就不能适当；刑罚不适当，那么民众就会手足无措。所以君子正定的名称名分一定可以顺当合理地说出来，说出来一定可以实行。君子对于自己所讲的话，不要马马虎虎太随便才是。"

【解读】 "名正言顺"为我们所熟知，此语源于此。名正，即名义正，故而孔子把正名分放在为政者的第一要务，对后世影响深远。孔子所说的正名，即强调名实相符，言行一致。在

孔子那个"礼崩乐坏"的时代，很多概念被
歪曲，许多名称不副实。统治者往往嘴上说
一套，行为上做的是另一套，造成了思想混乱，
社会行为失范。所以，正名不只是语言问题，
其实是关乎政治的大问题。正名分，就是正
角色、正权限、正渊源，就是整秩序、建规范、
明责任。所谓师出有道、师出有名，就是名
正言顺的延伸。当今也是如此，无论你身处
什么位置，从事何种工作，都要先把自己的
名分或者社会责任，乃至家庭责任认识清楚。
这便是"名正言顺"的本质。

13.4

　　樊迟请学稼。子曰："吾不如老农。"请学为圃。曰："吾不如老圃。"樊迟出。子曰："小人哉，樊须也！上好礼，则民莫敢不敬；上好义，则民莫敢不服；上好信，则民莫敢不用情。夫如是，则四方之民襁负其子而至矣，焉用稼！"

Fan Ch'ih requested to be taught husbandry. The Master said, "I am not so good for that as an old husbandman." He requested also to be taught gardening, and was answered, "I am not so good for that as an old gardener." Fan Ch'ih having gone out, the Master said, "A small man, indeed, is Fan Hsu! If a superior love propriety, the people will not dare not to be reverent. If he love righteousness, the people will not dare not to submit to his example. If he love good faith, the people will not dare not to be sincere. Now, when these things obtain, the people from all quarters will come to him, bearing their children on their backs; what need has he of a knowledge of husbandry?"

【译文】樊迟请教如何种庄稼。孔子说:"我不如老农民。"又请教如何种菜。孔子说:"我不如老菜农。"樊迟退出。孔子说:"樊须真是个成不了大器的小人啊!居上位的喜好礼,那么民众不敢不尊敬;居上位的喜好义,那么民众不敢不服从;居上位的喜好诚信,那么民众不敢不真心实意地相待。若能如此,那么四方的民众就会用襁褓背负着孩子来投靠,哪里还用得着亲自种庄稼!"

【解读】孔子心目中的"学而优则仕",是不可颠覆的,故而他反对甚至鄙视所有"学而优"者从事相对简单的体力劳动。孔子育人的主要目的,就是为了出仕,这就需要有大的抱负,探索治国安邦的大学问，学有所成后要致力于修身治国平天下的大事业。学稼学圃，是"学者"在舍本逐末，这是"小人"的作为。从"吾不如老农""吾不如老圃"的语意之中，可以看出孔子没有一点鄙视农夫的意思。孔子所言"小人哉，樊须也"，有恨铁不成钢之意，其情感与我们今人是相同的。你为政后只要做到"好礼""好义""好信"，"则四方之民襁负其子而至矣，焉用稼！"我们不能用现代的眼光评价孔子对樊迟的看法，毕竟那时还是原始农耕时代，靠天吃饭，科技含量极低。樊迟没有远大的理想、宏伟的抱负，可能是年龄较小的原因，令人怜悯。

13.5

子曰："诵《诗》三百，授之以政，不达；使于四方，不能专对；虽多，亦奚以为？"

The Master said, "Though a man may be able to recite the three hundred odes, yet if, when intrusted with a governmental charge, he knows not how to act, or if, when sent to any quarter on a mission, he cannot give his replies unassisted, notwithstanding the extent of his learning, of what practical use is it?"

【译文】孔子说："能诵读《诗经》三百篇，授给他政事，却不能通达；让他出使各国，却不能独立应对；虽然读得多，又有什么用呢？"

【解读】孔子曾说"不学诗，无以言"，本章进一步强调，光学还不够，还要学以致用。《诗经》原本是彼时的一部从政宝典，内容丰富，涉及社会、历史、文化、民俗、政治、军事、外交、自然等诸多方面，故出仕为官者必读。朱熹在《论语集注》评价《诗经》的应用价值说："可以验风俗之盛衰，见政治之得失，其言温厚和平，长于风谕。故诵之者，必达于政而能言也。"但是，如果死读不得其要义，学的知识不能运用，真是读了也白读。因此，读书的终极目的是"用"，必须与实践相结合，学以致用，知行合一。

13.6

子曰："其身正，不令而行；其身不正，
虽令不从。"

The Master said, "When a prince's personal
conduct is correct, his government is effective
without the issuing of orders. If his personal conduct
is not correct, he may issue orders, but they will not
be followed."

【译文】孔子说："为政者自身行得正，不下命令，
老百姓也会照着你的意志行动；为政者自身
行得不正，即使下命令，老百姓也不会服从。"

【解读】正人先正己，以己作表率。为政者自
身正，就是最大的号召力，具有极强的感染力，
自身正，也会产生强大的向心力和执行力。

13.7

子曰："鲁、卫之政，兄弟也。"

The Master said, "The governments of Lu and Wei are brothers."

【译文】孔子说："鲁、卫两国的政治，像兄弟一样相近。"

【解读】此话语出有因。西周初期，周公与康叔两兄弟一个封于鲁，一个封于卫，治国理念大致相同，如同兄弟。至孔子时代，两国风化俱恶，亦如兄弟。故而，孔子发出了如此感慨。这体现了孔子对当时两国政治的强烈担忧，其中也饱含了孔子盼望恢复周礼的深切期待。

13.8

子谓卫公子荆，"善居室。始有，曰：'苟合 [1] 矣。'少有，曰："苟完矣。'富有，曰：'苟美矣。'"

The Master said of Ching, a scion of the ducal family of Wei, that he knew the economy of a family well. When he began to have means, he said, "Ha! here is a collection!" When they were a little increased, he said, "Ha! this is complete!" When he had become rich, he said, "Ha! this is admirable!"

【注释】［1］合：同"给"，足够。

【译文】孔子谈到卫国的公子荆，说："此人善于居家过日子，刚有一点财产，便说：'差不多够了。'稍微再增加一些，便说：'差不多完备了。'富有以后，便说：'差不多完美了。'"

【解读】俗话说"知足者常乐",本章就是对此语最好的示例。卫公子荆不但没有贪欲,还极其容易满足,他有一种让我们羡慕的心态——安然。孔子赞美他,是对当时奢侈的社会风气进行批评,就是深情呼唤世人要在生活上知足,在仁德上知不足。对于卫公子荆的这种心态,每个人都应扪心自问:是不是久违了?

13.9

子适卫，冉有仆[1]。子曰："庶[2]矣哉！"
冉有曰："既庶矣，又何加焉？"曰："富之。"
曰："既富矣，又何加焉？"曰："教之。"

When the Master went to Wei, Zan Yu acted
as driver of his carriage. The Master observed, "How
numerous are the people!" Yu said, "Since they are
thus numerous, what more shall be done for them?"
"Enrich them," was the reply. "And when they have
been enriched, what more shall be done?" The
Master said, "Teach them."

【注释】［1］仆：驾车。［2］庶（shù）：众多。

【译文】孔子到卫国，冉有驾车。孔子说："这
里的人口真多啊！"冉有说："人口已经够
多了，然后该做什么？"孔子说："使他们

富裕起来。"冉有说:"如果已经富裕了,然后该做什么?"孔子说:"教育他们。"

【解读】孔子天生就像一位职业领导人,触景生情,时时心怀规划社会的梦想,念念不忘劳动人民的幸福安康。孔子的确具有政治天赋,但一直没有得到践行的机会,所以教育起弟子来不单是迫切,还不失时机。古代农耕社会,人是第一生产力,人口象征着财富,多与寡彰显着国家的实力。所以,孔子时代如何获得人力资源,考验各诸侯的政治智商。古人不傻,他们各显其能,优惠政策频出。但有了人,随之而来的是怎样使民富足,民富才使国强。但"民富国强"是一般人的常识,智慧的孔子不这么认为。民富,国不一定强,没有了教育一样会被内乱外侵毁灭。大量史实也证明了缺失教育,民富未必国强,国强未必民富。教育,从一定意义上来说,是一个国家和民族最重要的事业,决定国家和民族的未来。

13.10

子曰："苟有用我者，期月^[1]而已可也，三年有成。"

The Master said, "If there were (any of the princes) who would employ me, in the course of twelve months, I should have done something considerable. In three years, the government would be perfected."

【注释】[1] 期（jī）：同"朞"。期月：一周年。

【译文】孔子说："如果有人用我治理国家，一年就可以有成效，三年就能成功。"

【解读】怀才不遇，对有些人可能是一种打击，甚至会被毁灭。但对孔子来说，胸怀远大目标、实现美好的理想，是任何势力打压不下去的，即便是命运也不退却。他胸怀拯救国运的使命，顽强地向社会呐喊，向命运抗争。这种自信，来自强大的实力和强烈的使命感。

13.11

子曰："善人为邦百年，亦可以胜残去
杀矣。诚哉是言也！"

The Master said, " 'If good men were to govern
a country in succession for a hundred years, they
would be able to transform the violently bad, and
dispense with capital punishments.' True indeed is
this saying!"

【译文】孔子说："仁善的人治理国家一百年，
也可以遏制残暴、废除刑罚杀戮了。这话是
真的呀！"

【解读】我们不知道"善人为邦百年，亦可以
胜残去杀"出于何人之口，孔子深有感悟并
把此语当作一种信念是毋庸置疑的。孔子说
此话的语境已经不在，历史的底色明白无误

地告诉我们，此时他面对礼崩乐坏的世道有些伤感。孔子深知改变世风的艰难，尧舜般的圣人难以寻觅，哪怕是善良的明君治国持续百年，也可使社会风气得到根本性好转。这反映了孔子对仁善人治国的期盼。

13.12

子曰："如有王者，必世^[1]而后仁。"

The Master said, "If a truly royal ruler were to arise, it would still require a generation, and then virtue would prevail."

【注释】［1］世：三十年为一世。

【译文】孔子说："如果有圣明的君王出现，也一定要经过三十年的努力才能使仁德普行。"

【解读】上章言善人为邦百年，可以胜残去杀；此章言圣王为邦三十年（一世），仁政能得到普遍推行，两章连起来理解，颇顺。孔子认为，在礼崩乐坏的当下，广泛推行仁德、仁政难度很大，需要数十年的时间。

13.13

子曰："苟正其身矣，于从政乎何有？不能正其身，如正人何？"

The Master said, "If a minister make his own conduct correct, what difficulty will he have in assisting in government? If he cannot rectify himself, what has he to do with rectifying others?"

【译文】孔子说："如果能端正自身，从政还有什么难的？如果不能端正自身，如何去端正别人？"

【解读】政者，正也。这里的"正"，似乎内涵有所扩充，不单指行为正，目的性也要正当。勤政者，肯定会遇到困难，只要是为了群众，得到群众的理解支持，工作还会有困难吗？假如自身不"正"，怎能说服他人？

13.14

冉子退朝。[1]子曰："何晏[2]也？"对曰："有政。"子曰："其事也。如有政，虽不吾以，吾其与闻之。"

The disciple Zan returning from the court, the Master said to him, "How are you so late?" He replied, "We had government business." The Master said, "It must have been family affairs. If there had been government business, though I am not now in office, I should have been consulted about it."

【注释】［1］冉子：冉有，季氏的家臣。朝：季氏家私朝。［2］晏：晚。

【译文】冉有从季氏家私朝退朝回来。孔子说："为什么这么晚呢？"冉有回答说："有政务。"孔子说："那只不过是季氏家的事务。

如有政务，虽然国君不用我了，我也会知道。"

【解读】"政"为国政，"事"为家事。孔子主
张正名，所以把国政和家事分辨得十分清楚。
本章孔子举重若轻，言语颇为轻松，及时纠
正冉有的不当用词，也让其他弟子知道国政
与家事的不同。国政是公共决策，群策群力。
按周礼大夫以上者，是要上朝进言的，并且
言之无过。"国老"级的孔子哪能不知道呢？
孔子的立场，在于维护国家政务，也是教导
冉有不要全身心地效忠于家事。

13.15

定公问："一言而可以兴邦，有诸？"
孔子对曰："言不可以若是其几 [1] 也。人之
言曰：'为君难，为臣不易。'如知为君之难也，
不几乎一言而兴邦乎？"曰："一言而丧邦，
有诸？"孔子对曰："言不可以若是其几也。
人之言曰："予无乐乎为君，唯其言而莫予
违也。'如其善而莫之违也，不亦善乎？如
不善而莫之违也，不几乎一言而丧邦乎？"

The duke Ting asked whether there was
a single sentence which could make a country
prosperous. Confucius replied, "Such an effect
cannot be expected from one sentence." There is
a saying, however, which people have — 'To be
a prince is difficult; to be a minister is not easy.'
"If a ruler knows this, — the difficulty of being a
prince, — may there not be expected from this one

sentence the prosperity of his country?" The duke then said, "Is there a single sentence which can ruin a country?" Confucius replied, " Such an effect as that cannot be expected from one sentence. There is, however, the saying which people have — 'I have no pleasure in being a prince, but only in that no one can offer any opposition to what I say!' If a ruler's words be good, is it not also good that no one oppose them? But if they are not good, and no one opposes them, may there not be expected from this one sentence the ruin of his country?"

【注释】［1］几：近。

【译文】鲁定公问："一句话就可以使国家兴盛，有这样的话吗？"孔子回答说："话不可以这么起作用，但也有近似的话。有人说：'做君主的难，做臣下的也不容易。'如果知道了做君主的难处，不是近于一句话就会使国

家兴盛吗？"定公又问道："一句话就可以
使国家丧亡，有这样的话吗？"孔子回答说：
"话不可以这么起作用，但也有近似的话。
有人说：'我并没有什么乐于做君主的，只
是乐于说了话没有人敢违抗。'如果说的话
好而没有人违抗，不也是很好吗？如果说的
话不好而没有人违抗，不是近于一句话就会
使国家丧亡吗？"

【解读】本章鲁定公看似问政，但总感觉是话
里有话。兴邦，你鲁定公应该多想想肩上的
责任，勤于政事，善待民众，慎重治国，可
谓兴邦之措。世上哪有什么一句话就可使国
家兴衰的。此话若问常人，并不好回答。可
孔子就是孔子，一张口便含着满满的智慧，
给定公好好上了一课。君臣都是国家的管理
者，当明君遇上贤臣，则同舟共济，尽职尽责，
呕心沥血。将心比心，可体恤为臣的不易。
如是，明君将更加勉励自己，国家兴盛指日

可待。历史上但凡开明盛世，无不君臣惺惺
相惜，谏言纳言畅通，唐太宗李世民与魏徵就
是最著名的例子。"一言兴邦，一言丧邦"，
当警钟长鸣。

13.16

叶公[1] 问政。子曰："近者说，远者来。"

The duke of Sheh asked about government.
The Master said, "Good government obtains, when
those who are near are made happy, and those who
are far off are attracted."

【注释】［1］叶（shè）公：楚国大夫沈诸梁，
因任叶地长官，故称。

【译文】叶公问为政之道。孔子说："使近处
的民众高兴，使远方的民众归附。"

【解读】本章寥寥数字，反映了孔子理想中的
社会面貌，那是一个生机盎然、充满活力的
社会。为政者如果能够做到"近者说，远者
来"，那真可谓"譬如北辰，居其所而众星

共之"（《论语·为政》）。俗语"种好梧桐树，自招金凤凰"，讲的也是这个道理。"人往高处走，水往低处流"是自然规律。如何做到"近者说，远者来"，值得为政者深思。

13.17

子夏为莒父[1]宰，问政。子曰："无欲速，无见小利。欲速，则不达，见小利，则大事不成。"

Tsze-hsia, being governor of Chu-fu, asked about government. The Master said, "Do not be desirous to have things done quickly; do not look at small advantages. Desire to have things done quickly prevents their being done thoroughly. Looking at small advantages prevents great affairs from being accomplished."

【注释】[1]莒父：鲁国邑名，在今山东莒县西。

【译文】子夏做莒父邑的长官，问为政之道。孔子说："不要只图快，不要只看眼前的小利。只图快则往往达不到目的，只看眼前的小利则往往做不成大事。"

【解读】子夏虽然智勇双全，但在孔子看来还是有点嫩。急于求成、急功近利往往是年轻人的通病，所以当子夏任莒父宰问政时，他还是有点不放心。为官者没有试验田，一时不慎将铸成千古之恨。"欲速则不达"，早已成为流行的口头禅，人们用以告诫别人或警醒自己。

13.18

叶公语孔子曰："吾党有直躬者，[1] 其
父攘[2] 羊，而子证之。"孔子曰："吾党之
直者异于是，父为子隐，子为父隐，直在其
中矣。"

The duke of Sheh informed Confucius, saying,
"Among us here there are those who may be styled
upright in their conduct. If their father have stolen a
sheep, they will bear witness to the fact." Confucius
said, "Among us, in our part of the country, those
who are upright are different from this. The father
conceals the misconduct of the son, and the son
conceals the misconduct of the father. Uprightness is
to be found in this."

【注释】[1]党：乡党。直躬者：直身而行者，
即正直的人。[2]攘（rǎng）：偷窃。

【译文】叶公对孔子说："我家乡有个正直的人，他的父亲偷了羊，而他告发了父亲。"孔子说："我家乡的正直的人与此不同，父亲为儿子隐讳，儿子为父亲隐讳，正直也就在其中了。"

【解读】孔子以为此人"证父窃羊"，过于耿直，并表明自己对"直者"的看法：父子之间应相隐，维护相互间的名声。父子相隐，体现父慈子孝，父子关系融洽。孔子这么说，并非主张父子相互包庇干坏事，而重在维护和谐的父子关系。知道哪些事情需要"隐"，也就有了是非观念，有了羞耻之心，从而走上人生正道。下句的"直在其中"，即要求在隐的同时，要体现出"直"。这就有个方式方法的问题。以"其父攘羊"来说，如何体现"直"呢？做儿子的耐心劝谏，做通父亲的思想工作，暗暗将羊放还即是。《孝经·谏诤》载孔子语曰："父有争子，则身不陷于不义。"

13.19

樊迟问仁。子曰："居处恭，执事敬，
与人忠。虽之夷狄，不可弃也。"

Fan Ch'ih asked about perfect virtue. The
Master said, "It is, in retirement, to be sedately
grave; in the management of business, to be
reverently attentive; in intercourse with others, to
be strictly sincere. Though a man go among rude,
uncultivated tribes, these qualities may not be
neglected."

【译文】樊迟问怎么做才是仁。孔子说："居
家恭顺，办事认真敬慎，待人忠诚厚道。具
备了这样的仁德，即使到了边远少数民族之
地，人家也不会背弃你。"

【解读】居处恭、执事敬、与人忠，是仁德的

必选项，三个方面都做到了自然而然地可达仁的境界。恭、敬、忠也是古代社会行为的基本准则，有礼貌，敬事业，忠于人，在今天看来也是一位优秀的社会公民的标准。

樊遲問仁子曰
居處恭執事敬
與人忠雖之夷
狄不可棄也

語出子路篇第十九章

己亥秋月張仲亭書

录《论语》句　张仲亭　书

13.20

子贡问曰："何如斯可谓之士[1]矣？"子曰："行己有耻，使于四方，不辱君命，可谓士矣。"曰："敢问其次。"曰："宗族称孝焉，乡党称弟焉。"曰："敢问其次。"曰："言必信，行必果，硁硁[2]然小人哉！抑亦可以为次矣。"曰："今之从政者何如？"子曰："噫！斗筲[3]之人，何足算也？"

Tsze-kung asked, saying, "What qualities must a man possess to entitle him to be called an officer?" The Master said, "He who in his conduct of himself maintains a sense of shame, and when sent to any quarter will not disgrace his prince's commission, deserves to be called an officer." Tsze-kung pursued, "I venture to ask who may be placed in the next lower rank?" And he was told, "He whom the circle of his relatives pronounce to be filial, whom his fellow- villagers and neighbours pronounce to be fraternal." Again the disciple asked, "I venture to ask about the class still next in order." The Master said, "They are determined to be sincere in what they say, and to carry out what they do. They are obstinate little men. Yet perhaps they may make the next class." Tsze-kung finally inquired, "Of what sort are those of the present day, who engage in government?" The Master said, "Pooh! they are so many pecks and hampers, not worth being taken into account."

【注释】［1］士：指知识阶层中未仕和已仕而官位最低的人。［2］硁硁（kēng kēng）：击石声。形容固执。［3］筲（shāo）：盛饭的竹器。斗筲，比喻器量狭小，才识短浅。

【译文】子贡问道："怎样做才可以称之为士？"孔子说："自己为人做事有知耻之心，出使外国，不辜负不玷辱国君的命令，做到这些就可以称之为士了。"子贡说："请问次一等的。"孔子说："宗族称赞他孝敬父母，乡里人称赞他尊敬兄长。"子贡说："请问再次一等的。"孔子说："说话必守信不移，做事必坚持到底求出结果，像个固执不知权变的小人啊！不过也可以算是再次一等的士了。"子贡说："现在从政的人怎么样？"孔子说："唉！这些器量狭小之人，哪里能算数呢？"

【解读】士，是介于大夫与庶人之间阶层的人。春秋时期，世卿世禄制逐渐变得不适应社会的发展，而士又为执政集团注入了新鲜血液。众多孔门弟子步入仕途，就反映出统治者对吸收"野人"加入管理阶层的重视。士阶层的社会地位虽然相对低，没有卿大夫们高，但也非常重要，常常成为各诸侯国、各集团争取拉拢的对象，往往作为出谋划策的谋士来改变历史。总体上，他们具有强烈的责任感、使命感，尚操守、重诺言、守气节，可谓是社会的中坚力量。孔子又把他们分为三个级别，最次级也是为我们所熟知的"言必信，行必果"，只不过有点小瑕疵，固执死板。从本章的语境看，子贡的最后一次追问"今之从政者何如？"大概是想验证一下自己的判断。孔子的回答，真实地反映出"礼崩乐坏"后执政者的形象，衰败是历史的必然。

13.21

子曰："不得中行 [1] 而与之，必也狂狷 [2] 乎！狂者进取，狷者有所不为也。"

The Master said, "Since I cannot get men pursuing the due medium, to whom I might communicate my instructions, I must find the ardent and the cautiously-decided. The ardent will advance and lay hold of truth; the cautiously-decided will keep themselves from what is wrong."

【注释】［1］中行：行为合乎中庸之道。［2］狂狷：激进与拘谨保守。

【译文】孔子说："如果找不到行为上合乎中庸之道的人与他交往，也一定要找狂狷的！狂者肯于进取，狷者不会为非作歹。"

论
语

【解读】狂狷之士，也可交往。孔子不能说是激情四射，也可谓耐不住寂寞。人不是活在真空里，总得有交往。但与何种性格类型的人交往，有学问。本章是孔子总结的谨慎交人之道，此"人"非朋非友，也就是社会类型之人，怕是被其带偏了走向极端。然而，现实中行为合乎中庸之道的人难以寻觅，"狂"者和"狷"者到处可见，这样的可以多交几个，目的就是衡量观照自己的言行是否中规中矩。狂者激进，好高骛远；狷者保守，清高自守。如此一来，兼取二者所长，一张一弛，进退适中。成语"狷介之士"源于此章。

13.22

子曰："南人有言曰：'人而无恒，不可以作巫医[1]。'善夫！""不恒其德，或承之羞。"子曰："不占而已矣。"

The Master said, "The people of the south have a saying — 'A man without constancy cannot be either a wizard or a doctor.' Good!" "Inconstant in his virtue, he will be visited with disgrace." The Master said, "This arises simply from not attending to the prognostication."

【注释】［1］巫医：以祈祷、卜筮并兼用药物为人求福、消灾、治病的人。

【译文】孔子说："南方人有句话说：'人如果没有恒心，不可以做巫医。'这话好极了！"《周易·恒卦》九三爻辞说："没有持之以恒的德行，或许会承受它所带来的羞辱。"
孔子说："倘若缺乏恒德，不占卜也就罢了（意
思是，占卜也无用）。"

【解读】人有恒心，才有成就。古人笃信占卜，
涉及各个领域，出征、祭祀，乃至婚丧嫁娶。
占卜直到现在也没绝迹，人们只不过是为了
得到一点心理上的慰藉。这里是孔子引用南
方人的俗语和《周易》爻辞，说明恒心对德
行修养的重要性，以此强调人要有恒德。人
无恒德，就连巫医这种比较低等的职业也做
不了，何况是为政者。如果不能持之以恒地
修身养德，有时候免不了要受羞辱。"不恒
其德，或承之羞"，意味深长！

13.23

子曰："君子和而不同，小人同而不和。"

The Master said, "The superior man is affable, but not adulatory; the mean man is adulatory, but not affable."

【译文】孔子说："君子能够与周围的人和谐相处，而不盲目苟同于人；小人只顾苟同附和于人，而不能与周围的人和谐相处。"

【解读】"和"体现出我国传统哲学的智慧。"和"就是一种包容，多元素相互调和，从差异中求得和谐；"同"有排他性，是一种元素的叠加，乏味的重复。《左传·昭公二十年》记载了一个故事：齐景公打猎回来，大夫梁丘据驾车赶来随侍。景公对晏子说："只有梁丘据与我'和'啊！"晏子说："梁丘据对您只会随声附和，从来没有提过不同意见，这只是'同'罢了，哪里是'和'呢？"

子曰君子和而不同小人同而不和
歲在庚辰春月吳磊於□□畫

君子和而不同，小人同而不和　吳磊　绘

13.24

子贡问曰:"乡人皆好之,何如? "子曰:
"未可也。""乡人皆恶之,何如? " 曰:"未
可也。不如乡人之善者好之,其不善者恶之。"

Tsze-kung asked, saying, "What do you
say of a man who is loved by all the people of his
neighborhood?" The Master replied, "We may not
for that accord our approval of him." "And what do
you say of him who is hated by all the people of his
neighborhood?" The Master said, "We may not for
that conclude that he is bad. It is better than either
of these cases that the good in the neighborhood love
him, and the bad hate him."

【译文】子贡问道: "乡里人都喜欢他,怎么
样? "孔子说: "还不行。"子贡又问: "乡
里人都厌恶他,怎么样? "孔子说: "也不行。

不如乡人中的好人喜欢他，乡人中的坏人厌恶他。"

【解读】此章谈论评价人的标准。乡人当中，有好人，也有坏人。想要取悦所有人，必然做事无原则，不敢得罪坏人，只能做个好好先生。反之，做事死板冷酷，不近人情，甚至胡乱作为，必然会得罪好人，自己也就成了孤家寡人。对于这两种人，孔子都不认可。孔子评价人的标准是，让好人喜欢，让坏人痛恨。此章可以联系《卫灵公》篇"众恶之，必察焉；众好之，必察焉"和《阳货》篇"乡原，德之贼也"来理解。

13.25

子曰："君子易事而难说也。说之不以道，不说也。及其使人也，器之 [1]。小人难事而易说也。说之虽不以道，说也；及其使人也，求备焉。"

The Master said, "The superior man is easy to serve and difficult to please. If you try to please him in any way which is not accordant with right, he will not be pleased. But in his employment of men, he uses them according to their capacity. The mean man is difficult to serve, and easy to please. If you try to please him, though it be in a way which is not accordant with right, he may be pleased. But in his employment of men, he wishes them to be equal to everything."

【注释】 ［1］器之：量才用之。

【译文】孔子说："在君子手下做事很容易，却难讨他喜欢。讨他喜欢不以正当方式，他不会喜欢的。等到他使用人时，总是量才而用。在小人手下工作很困难，却容易讨他喜欢。讨他喜欢虽不以正当方式，他也会喜欢的；等到他使用人时，总是求全责备。"

【解读】本章孔子论述君子、小人存心待人用人之不同。君子存心公正，心中自有正道和操守，待人宽厚大度，不会刻意刁难下人。但有意讨得君子的喜欢，那可不是一件容易的事，他们十分鄙视媚态做作。即便是喜欢你的为人处事，也会根据你的能力量才适用，既不委屈你，又不勉强你。大者大用，小者小用，绝对没有私心杂念。孔子通过君子、小人待人做事的对比，印证了君子坚守正道的可贵。

13.26

子曰："君子泰而不骄，小人骄而不泰。"

The Master said, "The superior man has a dignified ease without pride. The mean man has pride without a dignified ease."

【译文】孔子说："君子安详舒泰，却不骄傲凌人；小人骄傲凌人，却不安详舒泰。"

【解读】君子和小人内在修养不同，自然他们表现于外的做派也不尽相同。君子秉持公道，心无偏私，故能安然坦荡；君子卑以自牧，故而为人心平气和，不骄矜傲慢。反之，小人虽然志得意满、心高气盛，却心胸狭窄，对自我难以做出充分的认知和肯定。"君子坦荡荡，小人长戚戚"与此语意相通。

13.27

子曰：“刚毅、木讷 [1]，近仁。”

The Master said, "The firm, the enduring, the simple, and the modest are near to virtue."

【注释】［1］木讷（nè）：言语迟钝。

【译文】孔子说：“刚强坚毅、质朴而不善言辞的品德，接近于仁。”

【解读】孔子认为，做到仁，有阶梯，因人而异，“爱人”是底线、基础；尽仁，是人格的最高境界，难以达到。但具备刚毅、谨慎这两种美好的品质，就接近于仁了。具备刚强坚毅精神，做事才能成功；说话质朴无华、不花言巧语，才能让人信服。

13.28

子路问曰："何如斯可谓之士矣？"子曰：
"切切偲偲，^[1] 怡怡^[2] 如也，可谓士矣。朋
友切切偲偲，兄弟怡怡。"

Tsze-lu asked, saying, "What qualities must a
man possess to entitle him to be called a scholar?"
The Master said, "He must be thus, earnest, urgent,
and bland: — among his friends, earnest and urgent;
among his brethren, bland."

【注释】［1］切切：互相切责。偲偲（sī sī）：
互相勉励。［2］怡怡：和顺，和睦。

【译文】子路问道："怎样做才可以称之为士？"
孔子说："相互批评勉励，和和顺顺，可以
叫作士了。朋友之间相互批评勉励，兄弟之
间和和睦睦。"

【解读】本章是孔子因材施教的又一事例。前面 13.20 章子贡问士，孔子给出三个等级。这里子路问士，孔子根据子路志气刚强、性格粗野的特点，给出点拨：士之间应互相批评帮助，互相勉励督促，和睦相处。

13.29

子曰："善人教民七年，亦可以即戎矣。"

The Master said, "Let a good man teach the people seven years, and they may then likewise be employed in war."

【译文】孔子说："仁善的人教育人民七年，也就可以让他们参军作战了。"

【解读】孔子提倡仁爱，但对于外侵之敌他还是主张奋力抵御和拼杀的。仁善之人教化人民孝悌忠信的信念，使之明事理、知大义，自然本能地联想到爱人、爱家园、爱国土。明礼义，人心齐，不用专门练兵，国人也能拼命护国，保家卫民。从这里也可以看出仁善教育对于国家安定所起的巨大作用。

13.30

子曰："以不教民战，是谓弃之。"

The Master said, "To lead an uninstructed people to war, is to throw them away."

【译文】孔子说："让未受教育的人作战，这等于是抛弃他们。"

【解读】前章说教民七年即可作战，本章是说如果人民没有得到应有的教育，稀里糊涂地去作战，目的不明确，不能同仇敌忾，无异于送死。这样做是漠视生命，违背仁德。

宪问第十四

14.1

宪问耻。子曰："邦有道，谷^[1]；邦无道，谷，耻也。"

"克、伐、怨、欲不行焉，可以为仁矣？"子曰："可以为难矣，仁则吾不知也。"

Hsien asked what was shameful. The Master said, "When good government prevails in a state, to be thinking only of salary; and, when bad government prevails, to be thinking, in the same way, only of salary; — this is shameful."

"When the love of superiority, boasting, resentments, and covetousness are repressed, this may be deemed perfect virtue?" The Master said, "This may be regarded as the achievement of what is difficult. But I do not know that it is to be deemed perfect virtue."

【注释】〔1〕谷：俸禄。古以谷米为俸禄。

【译文】原宪问什么是耻辱。孔子说："国家有道，做官领俸禄；国家无道，还领俸禄，就是耻辱。"

　　原宪又问："好胜、自夸、怨恨、贪欲等毛病不行于自身，可以称为仁吗？"孔子说："可以说是难能可贵的了，至于能不能叫仁，那我就不知道了。"

【解读】原宪是侠隐中人，他在孔子逝后，洞悉所处的社会太乱，无法有所贡献，因此退隐山泽，韬光养晦。对原宪的问题，孔子的回答告诉我们，一位从政者，不但应该尽到自己的责任，还应该明白所服务的邦国是否崇尚道义，在无道义的国家事君拿俸禄是可耻的。这等同于助纣为虐，是一种不明是非的表现。孔子的六世孙孔斌在魏国执政最后辞官归隐的故事，是对孔子"邦无道，谷，耻也"

的最好注释。孔子认为，能摆脱掉"克、伐、怨、欲"等毛病，是难能可贵的品质，但还未达到"仁"的标准。行"仁"应该是积极主动的，主动地修行仁德，主动地仁人爱物，主动地做对别人、对社会有益的事；而"克、伐、怨、欲"只不过是对感情的控制，是一种消极被动的情感，所以不能算仁。这也体现出孔子不轻易以"仁"许人的特点。

14.2

子曰："士而怀居，不足以为士矣。"

The Master said, "The scholar who cherishes the love of comfort is not fit to be deemed a scholar."

【译文】孔子说："士如果留恋家庭的安逸生活，就不足以称为士了。"

【解读】"好男儿志在四方"，这是士大夫的情怀。孔子积极入世，一生致力于推行自己的治国方策，实现自己的政治理想。十四年的周游经历很好地诠释了此句。其间假如孔子放弃人格、志向，有许多机会可以衣食无忧，乃至获得荣华富贵。年轻时的毛泽东也有"埋骨何须桑梓地，人生无处不青山"的豪情壮志。

14.3

子曰："邦有道，危^[1]言危行。邦无道，危行言孙^[2]。"

The Master said, "When good government prevails in a state, language may be lofty and bold, and actions the same. When bad government prevails, the actions may be lofty and bold, but the language may be with some reserve."

【注释】［1］危：正。［2］孙（xùn）：通"逊"，谦顺，恭顺。

【译文】孔子说："国家有道，言语正直，行为正直；国家无道，行为正直，言语逊顺谨慎。"

【解读】本章是孔子直言如何"安己"。在那

个礼坏乐崩的乱世，孔子以师者拳拳之心告
诫弟子为人臣子应如何保身，因为生命宝贵，
生存应放在第一位。孔子从来不鼓励无谓的
牺牲，他教育学生，在世道黑暗时要注意避祸，
要出淤泥而不染，保持节操，行为要正直，"道
不同不相为谋"。

14.4

子曰："有德者必有言，有言者不必有德。仁者必有勇，勇者不必有仁。"

The Master said, "The virtuous will be sure to speak correctly, but those whose speech is good may not always be virtuous. Men of principle are sure to be bold, but those who are bold may not always be men of principle."

【译文】孔子说："有道德的人一定有好言语，有好言语的人不一定有道德；仁德的人一定勇敢，勇敢的人不一定仁德。"

【解读】本章强调"德"与"仁"的重要性。"德"与"仁"是内在修养，"言"与"勇"是外在表现。具备了"德"和"仁"，一定言语得体，勇于担当。但是很会说话的人，不一定都有"德"。只有"勇"的人，不一定是仁者。无德之人的花言巧语大都不可信，而离开了"仁"的"勇"可能就是胆大妄为、胡作非为。

14.5

南宫适[1]问于孔子曰: "羿[2]善射,奡荡舟,[3]俱不得其死然。禹、稷躬稼,而有天下。"夫子不答。南宫适出,子曰: "君子哉若人! 尚德哉若人! "

Nan-kung Kwo, submitting an inquiry to Confucius, said, "I was skillful at archery, and Ao could move a boat along upon the land, but neither of them died a natural death. Yu and Chi personally wrought at the toils of husbandry, and they became possessors of the kingdom." The Master made no reply; but when Nan-kung Kwo went out, he said, "A superior man indeed is this! An esteemer of virtue indeed is this!"

【注释】[1]南宫适(kuò):孔子弟子南容。[2]羿:后羿,夏朝有穷国国君。后被寒浞所杀。

[3] 奡（ào）：夏朝寒浞之子，以力大著称。荡舟：一说奡善于水战，能使敌兵翻船；一说奡能陆地行舟。后被少康所杀。

【译文】南宫适向孔子问道："后羿善于射箭，奡力大能翻船，都没有得到好死。大禹、后稷亲自种庄稼，却都得到了天下。"孔子不回答。南宫适退出，孔子说："君子啊这人！尚德啊这人！"

【解读】孔子一贯注重道德修养，强调以德行感化人，而不是靠武力压服。武能克刚，但未必能服人，这也验证了"有言者不必有德，勇者不必有仁"论断的正确性。孟子也曾说："以力服人者，非心服也，力不赡也；以德服人者，中心悦而诚服也。"（《孟子·公孙丑上》）这是对孔子"德行高于武力"思想的进一步阐述。孔子并不反对武力，只是不主张把武力当作解决问题的唯一方法。小到个人，大到国家，因分歧无法调和引起冲突甚至战争的事例数不胜数。近年来，国际局势动荡不安，局部冲突时有发生，为什么没有解决好这些问题？恐怕还得到孔夫子那里寻求智慧。

14.6

子曰："君子而不仁者有矣夫，未有小
人而仁者也。"

The Master said, "Superior men, and yet not
always virtuous, there have been, alas! But there
never has been a mean man, and, at the same time,
virtuous."

【译文】孔子说："达不到仁德的君子也许是
有的，但具备仁德的小人却是没有的。"

【解读】虽为君子，要完全达到"仁"是极难
的，连孔子也不敢以仁自许。德行表率颜渊，
也只能做到"其心三月不违仁"。宋邢昺《论
语注疏》曰："此章言仁道难备也。虽曰君子，
犹未能备，而有时不仁也。若管仲九合诸侯，
不以兵车，可谓仁矣，而镂簋朱纮，山节藻棁，

是不仁也。小人性不及仁道，故未有仁者。"
清刘宝楠《论语正义》亦曰："仁道难成，
故以令尹子文之忠、陈文子之清，犹不得为仁，
即克伐怨欲不行，亦言'不知其仁'，故虽
君子有不仁也。"

14.7

子曰："爱之，能勿劳[1]乎？忠焉，能勿诲乎？"

The Master said, "Can there be love which does not lead to strictness with its object? Can there be loyalty which does not lead to the instruction of its object?"

【注释】[1]劳：忧劳，操劳。

【译文】孔子说："爱他，能不为他忧虑操劳吗？忠于他，能不对他教诲吗？"

【解读】本章孔子讲的是为人之道。爱，总得有表现、有行动，不是靠嘴上说的。如果仅靠嘴说，那不是真爱。真爱是忘我的，真心付出的、任劳任怨的。郑板桥的诗"衙斋卧听萧萧竹，疑是民间疾苦声。些小吾曹州县吏，一枝一叶总关情"，所表现的就是真爱、大爱。忠，是诚心的、尽职尽责的、无怨无悔的。因为有一颗忠诚之心，怎能不谏言，献计献策，提供治国方略呢？

14.8

子曰："为命，裨谌 [1] 草创之，世叔 [2]
讨论之，行人子羽 [3] 修饰之，东里子产 [4]
润色之。"

The Master said, "In preparing the governmental
notifications, P'i Shan first made the rough draught;
Shi-shu examined and discussed its contents; Tsze-
yu, the manager of foreign intercourse, then polished
the style; and, finally, Tsze-ch'an of Tung-li gave it the
proper elegance and finish."

【注释】［1］裨谌（bì chén）：郑国大夫。［2］
世叔：姓游，名吉，郑简公、郑定公时为卿，
后继子产执政。［3］行人：掌管外交出使的官。
子羽：公孙挥字子羽，郑国大夫。［4］东里：
地名。子产：公孙侨字子产，郑国大夫。

【译文】孔子说："郑国外交辞令的创制，裨谌拟稿，世叔研讨议论，外交官子羽修饰，东里子产润色加工。"

【解读】本章孔子通过总结郑国政通人和政治局面的形成原因，表达了自己对分工合作、量才而用的政治模式的向往。郑国的一道政令需要四位大臣慎重考虑、润色加工才发布，可见为政关乎千家万户，怎能不慎之又慎呢？这是孔子在告诫从政的人，制定政策，发布政令都要发挥集体智慧，群策群力，确保万无一失。万不可麻痹大意，鲁莽草率，给百姓造成不必要的麻烦。

14.9

或问子产。子曰："惠人也。"问子西[1]。曰："彼哉！彼哉！"问管仲。曰："人也。夺伯氏骈邑[2] 三百，饭疏食，没齿无怨言。"

Some one asked about Tsze-ch'an. The Master said, "He was a kind man." He asked about Tsze-hsi. The Master said, "That man! That man!" He asked about Kwan Chung. "For him," said the Master, "the city of Pien, with three hundred families, was taken from the chief of the Po family, who did not utter a murmuring word, though, to the end of his life, he had only coarse rice to eat."

【注释】［1］子西：郑国的公孙夏，子产的同宗兄弟，曾因杀害同僚子孔，瓜分其家产而声名狼藉。［2］伯氏：齐国大夫。骈邑（pián yì）：地名，在今山东临朐县。

【译文】有人问子产是个怎样的人。孔子说："是一个慈惠的人。"问子西是个怎样的人。孔子说："他呀！他呀！"问管仲是个怎样的人。孔子说："是个仁人。他曾剥夺伯氏骈邑三百户的采地，伯氏只能吃粗饭，但到死对他无怨言。"

【解读】本章是孔子对三位政治前辈的评价。执政者首先要考虑和照顾人民的实际利益，做到像子产一样"惠人"，施以仁政，关爱人民，孔子对他是肯定的；像子西那样没给百姓带来实惠、不值一提的人，孔子是瞧不起的。而对德行高尚、执法公正的管仲，孔子是赞许的。关于管仲执法公正，举了一个案例，因罪被剥夺三百户的伯氏一直没有怨言，可见管仲执法公允公平，具有很强的能力和很高的水平。这反映出孔子的"礼法"思想。我们无论是为官，还是做人，都要有仁德，讲法律，要始终不忘对他人和社会的责任与义务。

14.10

子曰："贫而无怨难，富而无骄易。"

The Master said, "To be poor without murmuring is difficult. To be rich without being proud is easy."

【译文】孔子说："贫穷而没怨气，难以做到；富贵而没骄气，容易做到。"

【解读】贫穷是产生民怨的根源。从执政者的角度讲，要求百姓"贫而无怨"难，这就考量执政者是否与民争利，是否"使民以时"，社会是否存在不公？从贫者自身来讲也难，囿于局限，难以摆脱贫困，怨声载道。"安贫乐道"不等于"贫而乐"。人民富足后，再进行教化就容易"富而无骄"。此章可以与"由俭入奢易，由奢入俭难"联系起来思考。

子曰贫而无怨难富而无骄易 岁在庚子青月杨晓刚恭画

贫而无怨难，富而无骄易　杨晓刚 绘

14.11

子曰："孟公绰为赵、魏老则优，[1] 不可以为滕、薛大夫。"

The Master said, "Mang Kung-ch'o is more than fit to be chief officer in the families of Chao and Wei, but he is not fit to be great officer to either of the states Tang or Hsieh."

【注释】［1］孟公绰：鲁国大夫。赵、魏：晋国诸卿赵氏、魏氏。老：大夫的家臣。

【译文】孔子说："孟公绰如果做赵氏、魏氏的家臣，那么能力绰绰有余；但不可以做滕、薛之类小国的大夫。"

【解读】本章是孔子谈"用人之道"。厚德之人不一定才智出众，才智出众不一定有厚德，孟公绰，虽廉静寡欲，但短于才智。滕和薛，国小政烦，大夫责重，故难以胜任。用人之道，历来是执政者深思熟虑的重要问题，用其所长是吏治正途。孔子的考量值得我们品味。

14.12

子路问成人。子曰：“若臧武仲 [1] 之知，公绰之不欲，卞庄子 [2] 之勇，冉求之艺，文之以礼乐，亦可以为成人矣。”曰：“今之成人者何必然？见利思义，见危授命，久要 [3] 不忘平生之言，亦可以为成人矣。”

Tsze-lu asked what constituted a complete man. The Master said, "Suppose a man with the knowledge of Tsang Wu-chung, the freedom from covetousness of Kung-ch'o, the bravery of Chwang of Pien, and the varied talents of Zan Ch'iu; add to these the accomplishments of the rules of propriety and music: — such a one might be reckoned a complete man." He then added, "But what is the necessity for a complete man of the present day to have all these things? The man, who in the view of gain, thinks of righteousness; who in the view of danger is prepared to give up his life; and who does not forget an old agreement however far back it extends: — such a man may be reckoned a complete man."

【注释】［1］臧武仲：鲁国大夫臧孙纥。［2］卞庄子：鲁国卞邑大夫。［3］要：约，困顿。

【译文】子路问什么是完备之人。孔子说："像臧武仲那样的智慧，孟公绰那样的不贪心，卞庄子那样的勇敢，冉求那样的多才多艺，再用礼乐加以文饰，也就可以称为完备之人了。"又说："如今的成人何必这样？看到利益便考虑是否合乎义，看到危难肯于献身，久处困顿境遇而不忘平生诺言，也可以称为完备之人了。"

【解读】常言道："金无足赤，人无完人。"本章所讲的成人，并不是我们通常理解的完美无缺的人，这里应该理解为在人格上完善的人。从子路与孔子的问答中，我们可以体会到孔子心目中的成人必须要经过礼乐的教化，并具备高尚的德行。儒家倡导"见利思义"，并不是要求我们放弃追求自己的正当利益，而是说在追求个人利益的同时，要考虑他人利益以及公众利益，不能损人利己，也不可损公肥私，更不能违法乱纪。"见危授命"，告诉我们在危难之际也要负起责任，为完成使命宁可牺牲自己。"久要不忘平生之言"，是说做人一定要讲诚信，即使深陷困境，也时刻牢记"季布一诺"的可贵。也许我们每一个人很难成为完人，但我们应该把完善人格作为终身追求目标。

14.13

子问公叔文子于公明贾[1]曰："信乎，夫子不言不笑不取乎？"公明贾对曰："以告者过也。夫子时然后言，人不厌其言；乐然后笑，人不厌其笑；义然后取，人不厌其取。"子曰："其然？岂其然乎？"

The Master asked Kung-ming Chia about Kung-shu Wan, saying, "Is it true that your master speaks not, laughs not, and takes not?" Kung-ming Chia replied, "This has arisen from the reporters going beyond the truth. My master speaks when it is the time to speak, and so men do not get tired of his speaking. He laughs when there is occasion to be joyful, and so men do not get tired of his laughing. He takes when it is consistent with righteousness to do so, and so men do not get tired of his taking." The Master said, "So! But is it so with him?"

【注释】［1］公叔文子：卫国大夫公孙拔。公明贾：卫国人。

【译文】孔子向公明贾询问公叔文子，说："真的吗，先生他不说、不笑、不索取？"公明贾回答说："这是告诉你的人说错了。先生他到该说话的时候才说话，所以人们不厌恶他的话；高兴了才笑，所以人们不厌恶他的笑；合乎道义然后才取，所以人们不厌恶他的取。"孔子说："是这样吗？难道是这样吗？"

【解读】这一章给我们的启示是从政者无论做什么事情，都要合乎时宜、发乎真情、符合道义。公叔文子说话做事都能恰到好处，为自己赢得了好名声，甚至得到了孔子发自肺腑的赞许。恰到好处，本质是一种中庸思想，是在微妙的关系空间中寻求一种饱含大智慧的平衡。"时然后言""乐然后笑""义然后取"，讲的都是由衷而发的时机选择。执政者在具体事务的处理中，就要注重适度原则，不偏不倚，无过无不及。特别是"义然后取"值得我们注意，不义之财万不可取。

14.14

子曰："臧武仲以防求为后于鲁，虽曰不要君，吾不信也。"

The Master said, "Tsang Wu-chung, keeping possession of Fang, asked of the duke of Lu to appoint a successor to him in his family. Although it may be said that he was not using force with his sovereign, I believe he was."

【译文】孔子说："臧武仲凭借他的封地防邑要求在鲁国立臧氏后嗣，虽有人说这不是要挟国君，但是我不相信呀。"

【解读】虽然臧武仲的聪明才智得到了孔子的赞赏，但是孔子认为臧武仲还没有达到"成人"的标准。他在得罪鲁国的执政者之后，忘记了大夫应遵循的准则，而是凭借防邑要挟鲁君为自家谋利。孔子站在正名和尊君的立场上，对他这种拥兵自重、欺君罔上的做法加以贬斥。中国历史上唐王朝后期的藩镇祸国如同此例，都是不符合道义的。有权势者也要牢记，居功自傲，索要名利，必然会被人民唾弃。

14.15

子曰："晋文公谲^[1]而不正，齐桓公正而不谲。"

The Master said, "The duke Wan of Tsin was crafty and not upright. The duke Hwan of Ch'i was upright and not crafty."

【注释】［1］谲（jué）：欺诈，诡变。

【译文】孔子说："晋文公诡诈而不正派，齐桓公正派而不诡诈。"

【解读】孔子认为施政做事要合乎礼制，晋文公称霸后，以下臣的身份召见周王，孔子对此违背礼制的行为无法接受，因此他说晋文公诡诈；齐桓公是打着"尊王攘夷"的旗号争霸，师出有名，孔子认为他的所作所为合乎道义，所以对其欣赏有加。做人不应无视道义，不守原则。

14.16

子路曰："桓公杀公子纠，召忽死之，管仲不死。"曰："未仁乎？"子曰："桓公九合诸侯，不以兵车，管仲之力也。如其仁！如其仁！"

Tsze-lu said, "The duke Hwan caused his brother Chiu to be killed, when Shao Hu died with his master, but Kwan Chung did not die. May not I say that he was wanting in virtue?" The Master said, "The duke Hwan assembled all the princes together, and that not with weapons of war and chariots: it was all through the influence of Kwan Chung. Whose beneficence was like his? Whose beneficence was like his?"

【译文】子路说："齐桓公杀了公子纠，召（shào）忽为他而死，管仲不为他死。"接着又问："这不够仁吧?"孔子说:"齐桓公九次会盟诸侯,不动用兵车武力,都是管仲的力量。这就是他的仁!这就是他的仁!"

【解读】孔子与弟子子路谈论"管仲不死君难"是否为仁的评判标准,就是看这个人是否对历史、对国家、对人民有贡献。孔子认为,要站在历史的高度宏观地看问题。管仲倘若为公子纠殉道而死,充其量算作一种信义之举。与他的巨大功勋相比,不值一提。管仲佐桓公九合诸侯,不用武力征伐,使天下百姓免遭战争荼毒,为社会做出了巨大贡献。这是不辱臣命的大节,完全当得起这个"仁"字。司马迁说:"人固有一死,或重于泰山,或轻于鸿毛。"面对生死,我们要思考怎样才能让自己的生命更有价值一些? 个体的生命因你的选择,如何更有意义?

14.17

子贡曰:"管仲非仁者与?桓公杀公子纠,不能死,又相之。"子曰:"管仲相桓公,霸诸侯,一匡 [1] 天下,民到于今受其赐。微 [2] 管仲,吾其被发左衽矣。岂若匹夫匹妇之为谅 [3] 也,自经于沟渎而莫之知也?"

Tsze-kung said, "Kwan Chung, I apprehend, was wanting in virtue. When the duke Hwan caused his brother Chiu to be killed, Kwan Chung was not able to die with him. Moreover, he became prime minister to Hwan." The Master said, "Kwan Chung acted as prime minister to the duke Hwan, made him leader of all the princes, and united and rectified the whole kingdom. Down to the present day, the people enjoy the gifts which he conferred. But for Kwan Chung, we should now be wearing our hair unbound, and the lappets of our coats buttoning on the left side. Will you require from him the small fidelity of common men and common women, who would commit suicide in a stream or ditch, no one knowing anything about them?"

【注释】［1］匡：匡正。［2］微：无。［3］谅：信。

【译文】子贡说："管仲不是仁人吗？齐桓公杀了公子纠，他不但不能为主子去死，反而又辅佐齐桓公。"孔子说："管仲辅佐桓公，使他称霸诸侯，一匡天下，民众直到今天还受到他的恩赐。如果没有管仲，我们恐怕会沦落到落后民族的地步，披散着头发，左开衣襟。难道要像普通男女那样愚守小信，自缢于沟渠而不为人知吗？"

【解读】弟子子路和子贡都认为管仲不为公子纠殉难是不仁的表现，因此向孔子发问。而

孔子从对天下百姓的功绩出发，肯定了管仲
在尊王攘夷的事业中做出的巨大贡献，甚至
说，如果没有管仲之功，人们恐怕都成了愚
昧落后的夷人了。孔子认为，义是大信，大
信必须守；而小信可以变通，不知变通，一
味固守，就是偏执，于事无益。孔子对管仲
的评价，上文是强调对百姓的爱护，不用武力，
而以政治手段解决问题，本章是强调他识揽
大局的历史性贡献。这是"仁政"安民的做法，
值得为政者学而为之。

14.18

公叔文子之臣大夫僎[1]与文子同升诸公。子闻之，曰："可以为文[2]矣。"

The great officer, Hsien, who had been family-minister to Kung-shu Wan, ascended to the prince's court in company with Wan. The Master, having heard of it, said, "He deserved to be considered WAN (the accomplished)."

【注释】[1]臣：家臣。僎（zhuàn）：人名。[2]文：公孙拔谥号为"贞惠文子"。《逸周书·谥法解》关于"文"的谥号有六义，其六是"锡民爵位"，与公孙拔荐贤为官的事迹相符。

【译文】公叔文子的家臣大夫僎由于文子的推荐，与文子一同升到卫国公室做官。孔子听到后，说："公叔文子可以谥号为'文'了。"

【解读】在中国古代谥号为"文"是很难得的，孔子认为公叔文子称得上"文"，是因为他有一心为公的博大胸怀。公叔文子推荐比自己地位低下的人和自己并列为大臣，抛却私念，为国荐贤，这种做法值得称颂。朱熹《四书章句集注》引"洪氏曰"指出公叔文子能够提拔家臣为国效力，说明他具有三种品质：知人、忘己、事君。这种唯贤是举、不计名利、一心为公的美好品德，也是我们当下的为官者要努力达到的高度。

14.19

子言卫灵公之无道也，康子曰："夫如是，奚而不丧？"孔子曰："仲叔圉[1]治宾客，祝鮀[2]治宗庙，王孙贾治军旅。夫如是，奚其丧？"

The Master was speaking about the unprincipled course of the duke Ling of Wei, when Ch'i K'ang said, "Since he is of such a character, how is it he does not lose his state?" Confucius said, "The Chung-shu Yu has the superintendence of his guests and of strangers; the litanist, T'o, has the management of his ancestral temple; and Wang-sun Chia has the direction of the army and forces:— with such officers as these, how should he lose his state?"

【注释】[1]仲叔圉(yǔ)：即孔文子，卫国大夫。
[2]祝鮀(tuó)：字子鱼，卫国大夫。

【译文】孔子谈卫灵公的昏庸无道，季康子说：
"既然如此，怎么不亡国？"孔子说："他
有仲叔圉主管外交，祝鲍主管宗庙祭祀，王
孙贾主管军事。既然如此，那又怎么会亡国？"

【解读】本章是讲一国之君举用贤能的用人之道。
一国执政，理想状态是国君具有完善的德行，
爱民勤政，举用贤能，但历史上真正能如此的
明君又有几人呢？卫灵公是当时有名的无道国
君，在孔子谈到他时，季康子提出疑问，为什
么卫国并没有因国君昏庸而灭亡？孔子认为卫
国有三个贤能的官员，而这足以让国家不至于
很快败亡。选人用人，是治国的关键所在。韩
信用兵，多多益善；刘邦择将，三人而已。这
就是领导用人的奥秘。俗话说："人无弃才。"
管理者关键在知人善任，这是领导艺术，也是
决定事情成功的关键所在。用对人，则家和业
兴国盛；用错人，则害人害己害国。

14.20

子曰："其言之不怍 [1]，则为之也难。"

The Master said, "He who speaks without modesty will find it difficult to make his words good."

【注释】［1］怍（zuò）：惭愧。

【译文】孔子说："如果说话大言不惭，那么做起来就很困难。"

【解读】人贵有自知之明，应当言行一致，若是心口不一，大言不惭，就会让人怀疑此人的道德修养，也怀疑此人的能力。在结交朋友和选拔人才时，我们也应像孔子那样寻找言行一致的人。现实生活中，言多行寡的人无法得到人们的信任。

14.21

陈成子[1]弑简公。孔子沐浴而朝，告于哀公曰："陈恒弑其君，请讨之。"公曰："告夫三子！"孔子曰："以吾从大夫之后，不敢不告也。君曰'告夫三子'者。"之三子告，不可。孔子曰："以吾从大夫之后，不敢不告也。"

Chan Ch'ang murdered the duke Chien of Ch'i. Confucius bathed, went to court, and informed the duke Ai, saying, "Chan Hang has slain his sovereign. I beg that you will undertake to punish him." The duke said, "Inform the chiefs of the three families of it." Confucius retired, and said, "Following in the rear of the great officers, I did not dare not to represent such a matter, and my prince says, 'Inform the chiefs of the three families of it.'" He went to the chiefs, and informed them, but they would not act.

Confucius then said, "Following in the rear of the great officers, I did not dare not to represent such a matter."

【注释】［1］陈成子：陈恒，齐国大臣。

【译文】陈恒杀了齐简公。孔子沐浴而上朝，报告鲁哀公说："陈恒杀了他的国君，请出兵讨伐他。"哀公说："那就报告季孙、孟孙、叔孙三位大夫吧！"孔子退下后说："因为我忝居大夫之后，不敢不报告呀。君主说'告夫三子'吧！"孔子于是到三位大夫那里报告，但他们不同意。孔子说："因为我忝居大夫之后，不敢不报告呀。"

【解读】孔子是一位尊礼守职的人，哪怕是自己老年回到鲁国，仅仅是名义上担任鲁国的一个咨政或顾问之类的闲职，也时刻不忘自己的大夫之职。当邻国发生臣弑君这样的事时，孔子也是慎重行事。职责使然，他沐浴上朝，提出讨伐意见。但此时哀公失政，大权被三桓把持，只能让孔子报告三家大夫。而他们忙着篡权夺位，自不答应。孔子愤懑失落，只能把事情经过公开出来，也好让大家知道季氏的专横和失职。这个故事启示我们，一个臣属应该尽到自己的责任，为正义而言，为礼制力争。只要自己尽到了个人责任，就问心无愧于天下，无愧于他人。

14.22

子路问事君。子曰："勿欺也，而犯之。"

Tsze-lu asked how a ruler should be served. The Master said, "Do not impose on him, and, moreover, withstand him to his face."

【译文】子路问如何服事君主。孔子说："不要欺骗，但可以犯颜直谏。"

【解读】本章讲的是孔子的事君之道。孔子将君臣关系视为大伦，认为臣下应该忠君，但更应该忠于自己的职责。为臣者敢于及时纠正君主的过错，才是事君之道，否则就是一种失职。在孔子的教导下，后世敢于直言进谏者仍不乏其人，形成了一种"文死谏，武死战"的政治传统。

14.23

子曰："君子上达，小人下达。"

The Master said, "The progress of the superior man is upwards; the progress of the mean man is downwards."

【译文】孔子说："君子向德行的高处进达；小人向德行的低处下滑。"

【解读】君子与小人追求的目标不同。君子追求的是真善美，是自身的完善，以此来推动社会的进步；而小人只考虑私利，为满足个人欲望，甚至不惜损害他人和社会利益。这里孔子告诉我们要积极向上，不断完善自己。

14.24

子曰："古之学者为己^[1]，今之学者为人。"

The Master said, "In ancient times, men learned with a view to their own improvement. Nowadays, men learn with a view to the approbation of others."

【注释】［1］为：治。为己，修治自己。

【译文】孔子说："古时学者的目的是修治自己，当今学者的目的是治理别人。"

【解读】"为"是"治"的意思。《小尔雅·广诂》："为，治也。"《左传·文公六年》："何以为民？"《经典释文》："为，治也。"《里仁》："能以礼让为国乎？"皇侃《论语义疏》曰："为，犹治也。""为己"就是修治自己，"为人"就是治理别人。孔子之所以说"古时的学者学习的目的是修治自己，而今天的学者学习的目的是治理别人"，是因为孔子看重的是"修己"（"修己以安人""修己以安百姓"），而看不上那些不知治身而只知治人的人。

14.25

蘧伯玉 [1] 使人于孔子。孔子与之坐而问焉，曰："夫子何为？"对曰："夫子欲寡其过而未能也。"使者出。子曰："使乎！使乎！"

Chu Po-yu sent a messenger with friendly inquiries to Confucius. Confucius sat with him, and questioned him. "What," said he, "is your master engaged in?" The messenger replied, "My master is anxious to make his faults few, but he has not yet succeeded." He then went out, and the Master said, "A messenger indeed! A messenger indeed! "

【注释】［1］蘧（qú）伯玉：蘧瑗，卫国大夫。

【译文】蘧伯玉派使者拜访孔子。孔子请使者坐下后问道："蘧老先生在做什么？"使者

回答说："先生想尽量减少过错而还未能做
到。"使者退出。孔子连声赞美说："好使
者啊！好使者啊！"

【解读】本章可以看作上一章"古之学者为己"
的例子，孔子认为蘧伯玉追求寡过的思想正
是古之遗风。《中庸》把"修身"作为治理
天下的"九经"中的第一条，告诉我们可以
通过提高个人境界以达到天下大治的目标。
从政者应该像蘧伯玉那样严格要求自己，力
争"吾日三省吾身"，时刻考虑少犯错误。
那种牢骚满腹、背后议论甚至诋毁他人的人，
往往暴露了其学识修养的不足，令人鄙弃。

14.26

子曰："不在其位，不谋其政。"

The Master said, "He who is not in any particular office, has nothing to do with plans for the administration of its duties."

【译文】孔子说："不在那个职位，就不用谋虑那个方面的政事。"

【解读】春秋末期，诸侯越礼，大夫专权的事很多。孔子此话就是针对当时的乱局说的，这也是警告那些从政者不要谋求非本位的事，应各司其职。《庄子》中一再讥讽孔子"不在其位而谋其政"，孔子确实也没有天子、诸侯的职位，每天考虑的却是"治国平天下"，这是不是矛盾呢？其实，孔子所说的"不谋其政"是指不要超越个人的身份等级，而不

是说不让人思考治国平天下的大道。天下兴
亡，匹夫有责。

14.27

曾子曰："君子思不出其位。"

The philosopher Tsang said, "The superior man, in his thoughts, does not go out of his place."

【译文】曾子说："君子考虑问题不越出自己的职权范围。"

【解读】不管在什么岗位，都应该首先思考本职范围的事。这是本分，士农工商各有其职。特别是为政者，更要首先自己做好自己分内的工作。

14.28

子曰："君子耻其言而过其行。"

The Master said, "The superior man is modest in his speech, but exceeds in his actions."

【译文】孔子说："君子以嘴上说的超过实际做的为可耻。"

【解读】言行一致，少说多做，是孔子针对时人大力提倡的君子原则。我们生活中常常有这样的人，说出的话，往往难以办到，不以为耻，还沾沾自喜。好大喜功者应引以为戒。《里仁》篇讲："子曰：'古者言之不出，耻躬之不逮也。'"与本章意义相通。

14.29

子曰："君子道者三，我无能焉：仁者不忧，知者不惑，勇者不惧。"子贡曰："夫子自道也。"

The Master said, "The way of the superior man is threefold, but I am not equal to it. Virtuous, he is free from anxieties; wise, he is free from perplexities; bold, he is free from fear." Tsze-kung said, "Master, that is what you yourself say."

【译文】孔子说："君子之道有三，我没有能力做到：仁德的人不忧愁，智慧的人不迷惑，勇敢的人不畏惧。"子贡说："这正是先生的自我描述啊。"

【解读】本章是孔子对君子之道的总结，他所提出的仁、智、勇三条作为君子的标准，也是中华文化的核心思想之一。孔子认为自己没能做到，其实是孔子谦虚，不肯自我标榜，也是对弟子们的勉励。生活中，越是有本事、有能耐的人，往往表现得低调谦虚；而那些不学无术或者修养低下的人，则常常举止言行不可一世。谦虚低调是获得信任、建立友善的灵丹妙药，而骄傲自大是前进路上的障碍。从政者谦虚低调，才能认识自身的不足，不断充实完善自我，道德修养、知识水平和办事能力才能不断提高，从而做出成绩，赢得尊重。

14.30

子贡方人[1]。子曰："赐也贤乎哉？夫我则不暇。"

Tsze-kung was in the habit of comparing men together. The Master said, "Tsze must have reached a high pitch of excellence! Now, I have not leisure for this."

【注释】[1] 方人：评论他人短长。

【译文】子贡议论别人的缺点。孔子说："端木赐你就比别人贤良吗？我就没有这闲工夫。"

【解读】子贡议论他人的短长，孔子对他委婉批评。《孔子家语·六本》也有记载："赐也好说不若己者。"意思是说，子贡喜欢与不如自己的人在一起。大概这样就更能显出他本人的才能吧。孔子对子贡的批评教导，至今仍然启迪我们，做人要低调，要加强自身修养，不要心驰于外，妄议他人。

14.31

子曰："不患人之不己知，患其不能也。"

The Master said, "I will not be concerned at men's not knowing me; I will be concerned at my own want of ability."

【译文】孔子说："不要担心别人不了解自己，要担心的是自己没有能力。"

【解读】孔子告诉我们，一个人最重要的是培养自身能力，要有真才实学，不要总担心别人不了解自己的能力。现实中，总是有些人喜欢抱怨，感叹自己怀才不遇，这种消极情绪一旦蔓延开来就会形成社会的歪风邪气，从而导致道德修养沦丧。其实，历史证明，只要自己是千里马，就不怕没有伯乐。孔子的教诲使得我们明白，无论何时何地，做什么事情，我们最应该关心的是如何提高自己的修养和能力，而不是抱怨没人发掘自己。

14.32

子曰："不逆[1]诈，不亿[2]不信，抑亦先觉者，是贤乎！"

The Master said, "He who does not anticipate attempts to deceive him, nor think beforehand of his not being believed, and yet apprehends these things readily (when they occur); — is he not a man of superior worth?"

【注释】［1］逆：本义迎接，此义预先。［2］亿：同"臆"，猜测。

【译文】孔子说："不预先怀疑别人欺诈，不臆测别人不诚实，却又能及早发现欺诈和不诚实，这是贤德啊！"

【解读】这一章孔子表达了两层意思，第一做人要厚道，不能胡乱猜疑；第二对某些人的欺诈欺骗，要有冷静的头脑和洞察力。人与人交往，讲究的是诚实守信。对于执政者而言，要知人善任，不能胡乱猜忌怀疑他人。既忌讳无端猜疑，又要有一定的预见性，及时察觉他人的欺诈企图，防患于未然。

14.33

微生亩谓孔子曰：“丘何为是栖栖^[1]者与？无乃为佞^[2]乎？”孔子曰：“非敢为佞也，疾^[3]固也。”

Wei-shang Mau said to Confucius, "Ch'iu, how is it that you keep roosting about? Is it not that you are an insinuating talker?" Confucius said, "I do not dare to play the part of such a talker, but I hate obstinacy."

【注释】［1］栖栖（xī xī）：忙碌不安。［2］佞：口才好，能言善辩。［3］疾：厌恶，憎恨。

【译文】微生亩对孔子说：“你孔丘为什么如此忙碌不安地到处游说呢？不会是想施展口才吧？”孔子说：“不敢施展口才，实在是憎恶当权者的顽固不化以及世俗的固塞鄙陋。”

【解读】本章承上章而出，微生亩既不知人，而又"先人之恶"，嘲笑孔子像急于寻找栖身之地的丧家之人一样四处奔波游说，这样的人怎么能算得上君子呢？对此孔子非常机智地对他反唇相讥。孔子不辞劳苦，四处游说各国君主，其目的是为了推行自己的政治主张。他义无反顾，持之以恒，这种对国家、社会、民众负责的态度和对理想信念的执着追求，值得我们敬仰。

14.34

子曰："骥不称其力，称其德也。"

The Master said, "A horse is called a ch'i, not because of its strength, but because of its other good qualities."

【译文】孔子说："对于千里马，不是称赞它的气力，而是称赞它的品质。"

【解读】这一章中的"力"与"德"是两个相对而言的概念，"力"对应的是外在的素质，"德"对应的是内在的品质。孔子很重视个人的修养，认为德行是一切行为的基础。一个人被世人称道，很大程度上是他的德行得到了大家认可，而不是他的能力有多么的强大。在当今社会，如果一个人有才无德，那他的"才"往往不会为人民谋幸福，相反会成为干坏事

的利器。那些因贪污受贿徇私枉法而被严惩
的官员，不是才高德薄的反面典型吗？

14.35

　　或曰："以德报怨，何如？"子曰："何以报德？以直报怨，以德报德。"

Some one said, "What do you say concerning the principle that injury should be recompensed with kindness?" The Master said, "With what then will you recompense kindness? Recompense injury with justice, and recompense kindness with kindness."

【译文】有人说："用恩德来回报怨恨，怎么样？"孔子说："用什么回报恩德？应该用正直来回报怨恨，用恩德来回报恩德。"

【解读】日常生活中，别人对我好，我当然要对他好，这就是所谓"以德报德"。但别人对我不好，我该如何做呢？有的人大度，不予计较，常常做出"以德报怨"的举动，试

图感动对方。对此，孔子则不认同，他认为
应该"以直报怨"。"以德报怨"看上去更
为宽容，但不公平，不合理。假如对伤害自
己的人报之以德，就会助长恶人的嚣张气焰。
孔子提倡的"仁"的思想是推己及人的，要
明辨是非，爱憎分明，讲究原则，并不是毫
无原则地宽恕所有人的过失。既不冤冤相报，
也绝不姑息养奸。

以直报怨，以德报德　韩新维　绘

14.36

子曰："莫我知也夫！"子贡曰："何为其莫知子也？"子曰："不怨天，不尤[1]人，下学而上达。知我者其天乎！"

The Master said, "Alas! there is no one that knows me." Tsze-kung said, "What do you mean by thus saying — that no one knows you?" The Master replied, "I do not murmur against Heaven. I do not grumble against men. My studies lie low, and my penetration rises high. But there is Heaven; — that knows me!"

【注释】［1］尤：责怪。

【译文】孔子说："没有人了解我啊！"子贡说："为什么没有人了解您呢？"孔子说："不怨恨天，不责怪人，从基础学起，上达于高深之境。了解我的大概是天吧！"

【解读】"莫我知也夫！"不是幽怨，这是孔子发出的无奈感叹。本章的时代背景是：鲁哀公十四年（公元前 481），孔子已七十一岁，鲁君西狩获麟，孔子感到自己的政治理想已不能实现，于是发出了如此感叹。孔子在艰苦卓绝的环境下，敬业修身，熟察人情，谙识天理，从而达到超越世俗的境界。即使不被所用，遭人误解，他也从没放弃个人品行的修为和实现理想的决心。即使面对惨淡人生，我们也需要保持一份豁达的胸怀，保持一种积极向上的人生态度。

14.37

公伯寮愬^[1]子路于季孙。子服景伯^[2]以告，曰："夫子固有惑志于公伯寮，吾力犹能肆诸市朝。"子曰："道之将行也与，命也；道之将废也与，命也。公伯寮其如命何！"

The Kung-po Liao, having slandered Tsze-lu to Chi-sun, Tsze-fu Ching-po informed Confucius of it, saying, "Our master is certainly being led astray by the Kung-po Liao, but I have still power enough left to cut Liao off, and expose his corpse in the market and in the court." The Master said, "If my principles are to advance, it is so ordered. If they are to fall to the ground, it is so ordered. What can the Kung-po Liao do where such ordering is concerned?"

【注释】［1］公伯寮（liáo）：姓公伯，名寮，鲁国人。愬（sù）：同"诉"，进谗言。［2］

子服景伯：名何，谥景伯，鲁国大夫。

【译文】公伯寮在季孙面前诽谤子路。子服景伯把此事告诉孔子，并且说："季孙老先生已经被公伯寮迷惑了，对于公伯寮，我的力量还足以把他杀了陈尸街头。"孔子说："道如果得到推行，是天命决定的；道如果不能被推行，也是天命决定的。他公伯寮能把天命怎么样！"

【解读】每遇危机，孔子便以天命自持，如周游至宋国时，面临司马桓魋的加害，他说："天生德于予，桓魋其如予何？"(《论语·述而》)如在匡地遭受围困时，他说："文王既没，文不在兹乎？天之将丧斯文也，后死者不得与于斯文也；天之未丧斯文也，匡人其如予何？"(《论语·子罕》)皆有种"天将降大任于斯人也"，别人难以撼动的浩然之气。

14.38

　　子曰："贤者辟世，其次辟地，其次辟色，其次辟言。"

　　子曰："作者七人矣。[1]"

　　The Master said, "Some men of worth retire from the world. Some retire from particular states. Some retire because of disrespectful looks. Some retire because of contradictory language."

　　The Master said, "Those who have done this are seven men."

　　【注释】［1］作：起而避去。七人：指《微子》篇中提到的七位逸民：伯夷、叔齐、虞仲、夷逸、朱张、柳下惠、少连。

　　【译文】孔子说："有贤德的人避开恶浊的社会，次一等的避开混乱之地，再次一等的避开不好的脸色，再次一等的避开恶言。"

孔子说："这样起而避去的已经有七个人了。"

【解读】本章孔子论述的是贤者乱世求生的法则。此语表明了孔子退而求其次，"明哲保身"的哲学思想，也反映了孔子对当时执政者的失望心态。他借古代贤者的生存之道，告诉弟子天下无道时，如何立身处世。贤者避世，就是身处乱世时，要避免与现实中的强势力量发生正面冲突，可以去做隐士，与浑浊不堪的社会斩断联系，以保全有用之身等待出仕机会。在我国历史上，隐士们在保全性命的同时，多以自己的德行才华及其人格力量给我们留下了宝贵的精神财富。孔子不但尊崇尧舜汤武，还崇拜"道不同不相为谋"的隐士。当社会浑浊不堪、大道不存之时，孔子佩服那些起身作罢之人。

14.39

子路宿于石门[1]。晨门[2]曰：“奚自？”子路曰：“自孔氏。”曰：“是知其不可而为之者与？”

Tsze-lu happening to pass the night in Shih-man, the gatekeeper said to him, "Whom do you come from?" Tsze-lu said, " From Mr. K'ung." "It is he, — is it not?" — said the other, "who knows the impracticable nature of the times and yet will be doing in them."

【注释】［1］石门：鲁城外门。［2］晨门：晨夜负责开关城门的守门人。

【译文】子路在石门过夜。守门人说：“从哪里来？”子路说：“从孔氏那里来的。”守门人说：“是那个明知不可能还坚持要做的人吗？”

【解读】上一章讲到了贤者避世的四条原则方法，隐士往往面对乱世是"知其不可而避之"，孔子虽然认可同时代隐士的做法，但他并不效仿他们的行为。孔子曾对上章谈到的七位"逸民"评论说："我则异于是，无可无不可。"（《论语·微子》）孔子明明知道当时大道不行，礼乐难兴，但他依然积极入世，处处碰壁也在所不惜，持之以恒地坚守信念。在外人看来，这种举动近乎偏执，因此给时人留下了"知其不可而为之"的印象。这也反映出当时孔子社会影响的广泛。孔子坚信仁义符合天命，因此不畏强暴，不惧非议，执着追求，永不言弃。

14.40

子击磬于卫，有荷蒉 [1] 而过孔氏之门者，曰："有心哉，击磬乎！" 既而曰："鄙 [2] 哉，硁硁 [3] 乎！莫己知也，斯己而已矣。'深则厉，浅则揭' [4]。" 子曰："果哉，末之难矣。"

The Master was playing, one day, on a musical stone in Wei, when a man, carrying a straw basket, passed the door of the house where Confucius was, and said, "His heart is full who so beats the musical stone." A little while after, he added, "How contemptible is the one-ideaed obstinacy those sounds display! When one is taken no notice of, he has simply at once to give over his wish for public employment. 'Deep water must be crossed with the clothes on; shallow water may be crossed with the clothes held up.'" The Master said, "How determined is he in his purpose! But this is not

孔子与荷蓧者　卢冰　绘

difficult!"

【注释】［1］蒉（kuì）：草筐。［2］鄙：鄙狭，
不舒缓悠扬。［3］硁硁（kēng kēng）：击磬声，
比喻坚定，固执。［4］深则厉，浅则揭：《诗
经·邶风·匏有苦叶》内一诗句。厉：穿着
衣服涉水。揭：提起。

【译文】孔子有一天在卫国击磬，有个背负草
筐的人从孔子门前路过，说："有心事啊，
这个击磬的人！"继而又说："鄙狭啊，硁
硁的磬声透着坚定和固执！没有人了解自己，
那么就独善其身专己守志算了。《诗经》上
说'水深就穿着衣裳游过去，水浅就撩起衣
裳趟过去。'"孔子说："真果断，我无法
反驳责难他了。"

【解读】本章也是谈孔子不被世人理解的问题。
在《论语》中，记述孔子碰到多位隐士，这

些人对孔子的态度多是冷嘲热讽。荷蓧者讥嘲孔子固执己见，冥顽不化，不辨时务，甚至不知深浅，而孔子对他却是敬仰有加。这也体现了孔子"不患人之不己知，患不知人也"的高贵品格。当自己的思想无人认同欣赏，是孤独坚守，还是主动放弃、应时权变？这是每一个人都会遇到的问题。孔子不与荷蓧隐士争辩，就在于他坚守道义追求，虽历经磨难，无人问津，而九死其未悔。这种"知其不可而为之"的精神为我们树立了一个人生高标。苏武牧羊十九年，节操不改，流芳百世；面对皇帝淫威，方孝孺坚守道德，彪炳史册。面对大是大非，事关理想信念，必须坚守原则，唯有如此，才能让我们的生命具有耀眼光彩和不凡意义。

14.41

子张曰："《书》云：'高宗谅阴[1]，三年不言。'何谓也？"子曰："何必高宗，古之人皆然。君薨，百官总己以听于冢宰[2]三年。"

Tsze-chang said, "What is meant when the Shu says that Kao-tsung, while observing the usual imperial mourning, was for three years without speaking?" The Master said, "Why must Kao-tsung be referred to as an example of this? The ancients all did so. When the sovereign died, the officers all attended to their several duties, taking instructions from the prime minister for three years."

【注释】［1］高宗：殷高宗武丁。谅阴（ān）：阴通"暗"，守丧所居的凶庐。［2］冢宰：百官之长，相当于后世的宰相。

【译文】子张说："《尚书》中说：'高宗守丧于凶庐，三年不言政事。'是什么意思？"孔子说："不仅是高宗，古代的人都这样。君主死了，百官各管自己的职事，听命于冢宰三年。"

【解读】这一章讲的是天子诸侯的居丧之礼。儒家强调"仁"为孝悌之本，要求执政者率先垂范，这样可以使社会秩序井然，易于管理。子张对《尚书》中讲到的君主三年守孝不理政事，无法理解，因此向孔子请教原因。孔子认为，不仅殷高宗如此，古时候都是这样的礼制，以此强调孝道的重大意义。至于君主居丧期间，国政如何运转，孔子则强调每位官员各负其责，各司其职，都听命于冢宰即可。

14.42

子曰："上好礼，则民易使也。"

The Master said, "When rulers love to observe the rules of propriety, the people respond readily to the calls on them for service."

【译文】孔子说："居上位的人喜好礼，那么民众就容易役使。"

【解读】孔子一贯主张上位者的身先示范作用，如"上好礼，则民莫敢不敬；上好义，则民莫敢不服；上好信，则民莫敢不用情"（《论语·子路》）。"子帅以正，孰敢不正？"（《论语·颜渊》）"其身正，不令而行；其身不正，虽令不从。"（《论语·子路》）"君子之德风，小人之德草。草上之风，必偃。"（《论语·颜渊》）

14.43

子路问君子。子曰："修己以敬。"曰："如斯而已乎？"曰："修己以安人。"曰："如斯而已乎？"曰："修己以安百姓。修己以安百姓，尧、舜其犹病[1]诸！"

Tsze-lu asked what constituted the superior man. The Master said, "The cultivation of himself in reverential carefulness." "And is this all?" said Tsze-lu. "He cultivates himself so as to give rest to others," was the reply. "And is this all?" again asked Tsze-lu. The Master said, "He cultivates himself so as to give rest to all the people. He cultivates himself so as to give rest to all the people:— even Yao and Shun were still solicitous about this."

【注释】［1］病：担忧。

【译文】子路问怎么做才是君子。孔子说："修养自己，尊敬别人。"子路又问："如此而已吗？"孔子说："修养自己，使周围的人安乐。"子路又问："如此而已吗？"孔子说："修养自己，使天下的老百姓安乐。修养自己，使天下的老百姓安乐，恐怕连尧、舜也会担忧做不到啊！"

【解读】本章通过子路问君子，说明君子也有上达的阶梯，分为三个层次。从君子修己敬人，修己安人，再到安百姓，逐层深入地说明君子应肩负的责任。这也是执政者执政的三个不同层次。"修己以敬"告诉我们要通过修身使自己变得庄重、恭敬；进一步就是做有利于社会的事，使周围的人安乐；最高境界就是使天下的老百姓都得到恩惠。这也就是儒家所倡导的"修身齐家治国平天下"，修己以敬是每一位君子必须遵循的行为准则。

14.44

原壤夷俟^[1]。子曰："幼而不孙弟^[2]，长而无述^[3]焉，老而不死，是为贼！"以杖叩其胫。

Yuan Zang was squatting on his heels, and so waited the approach of the Master, who said to him, "In youth not humble as befits a junior; in manhood, doing nothing worthy of being handed down; and living on to old age: — this is to be a pest." With this he hit him on the shank with his staff.

【注释】［1］原壤：孔子的老朋友。夷俟：又开腿箕踞而坐。［2］孙弟：同"逊悌"，谦逊敬长。［3］述：循。

【译文】原壤很不礼貌地叉开两腿坐着。孔子说："小时候不谦逊敬长，年长了还不遵循礼道，你这个老不死的，简直是个祸害！"说着，便用拐杖击打原壤的小腿。

【解读】本章中一个鲜活的、情感饱满的孔子跃然纸上。虽然他对老友原壤的批评毫不客气，甚至用上了手杖，但一连串的言行似乎没有生真气，否则早就和原壤断绝关系了。一向温良恭让的孔子，只有见到老友才会有如此举动。孔子认为原壤的无礼坐相是为老不尊，有伤大雅，不仅得不到别人的尊重，还会成为他人的笑柄。

14.45

阙[1]党童子将命。或问之曰:"益[2]者与?"
子曰:"吾见其居于位也,见其与先生并行也。
非求益者也,欲速成者也。"

A youth of the village of Ch'ueh was employed
by Confucius to carry the messages between him
and his visitors. Some one asked about him, saying,
"I suppose he has made great progress." The Master
said, "I observe that he is fond of occupying the
seat of a full-grown man; I observe that he walks
shoulder to shoulder with his elders. He is not one
who is seeking to make progress in learning. He
wishes quickly to become a man."

【注释】[1]阙:即阙里,孔子旧里。[2]益:
长进。

【译文】阙里的一个少年负责为宾主传话。有人问孔子说："他是个求长进的人吗？"孔子说："我看他坐在成人席位，又看他和年长前辈并肩而行，可见他不是个追求长进的人，而是个急于求成的人。"

【解读】本章中孔子借助对阙里童子的评价，告诫人们做人要谦逊、踏实。童子即未成年人，正在循序渐进的学习阶段，即便是神童也应懂礼貌，讲规矩，尊重长者。像这种少调失教，不懂规矩，爱出风头的少年，孔子认为是急于求成的表现，不予认可。任何事情都有其发展规律，逆规律而行，是无法取得成功的。急于求成如同揠苗助长，做人应该踏踏实实，不能追求和满足于一时的虚荣。

后记

"中华优秀传统文化书系"是山东省委宣传部组织实施的 2019 年山东省优秀传统文化传承发展工程重点项目,由山东出版集团、山东画报出版社策划出版。

"中华优秀传统文化书系"由曲阜彭门创作室彭庆涛教授担任主编,高尚举、孙永选、刘岩、郭云鹏、李岩担任副主编。特邀孟祥才、杨朝明、臧知非、孟继新等教授担任学术顾问。书系采用朱熹《四书章句集注》与《十三经注疏》为底本,英文对照主要参考理雅各(James Legge)经典翻译版本。

《论语》(三)由高尚举担任执行主编,

屈士峰、龚昌华、刘建、曹帅担任主撰；王明朋、王新莹、朱宁燕、朱振秋、李金鹏、杨光、束天昊、张勇、张博、陈阳光、尚树志、周茹茹、房政伟、高天健、郭耀、黄秀韬、韩振、鲁慧参与编写工作；于志学、吴泽浩、张仲亭、韩新维、岳海波、梁文博、韦辛夷、徐永生、卢冰、吴磊、杨文森、杨晓刚、张博、李岩等艺术家创作插图；本书编写过程中参阅了大量资料，得到了众多专家学者的帮助，在此一并致谢。